主人公のほのかは、修学旅行を楽しむために『心理テスト&ゲームBOOK』を買った女のコ。ほのかたち3班の5人といっしょに、この本を活用してね♪

それでは
今のくじで決まった
グループごとに
修学旅行の自由
時間にまわるコースを
考えてください

あ…
あの…

赤坂ほのか

ちょっと！
なんでわたしが
アンタといっしょの
班なのよ!!

それは
こっちの
セリフだっ

JN242536

毎年クラスもいっしょだしいいかげんにしてよねっ
緑川るな
オレのほうがイヤだっつーの! 同じ番号引いてんじゃねーよ!!
黄川田トラ
ちょっと2人とも…
あの2人は…
いつもそうなんだから…
ガルルルル
紺野ミナト
藍原さんは転校してきたばかり…
このメンバーで仲よく行動できるのかな?
ちら
……
藍原しおり
ったくトラは…女子にはもう少しやさしくしろよな

赤坂さんは？
どこか行きたいとこ
ある？
!?
コイツは
女子じゃねーよ！
なんですって!!
ケンカしてないで
早くコース
決めるぞ
え！
えっと…
ぷしゃ～
せっかく
ずっと片思いしてた
紺野くんと
仲よくなる
チャンス
なのに…！
そうだ！
この間買った本で
恋愛の心理テストを
やってみよう！
全部盛り
SCHOOL
理テスト

もくじ

PART 1 ドキドキ♥心理テスト

その1 性格心理テスト30

その2 友情心理テスト20

その3 恋愛心理テスト15

PART 2 わくわく★ゲーム&クイズ

その1 盛り上がりゲーム 15

その2 トランプゲーム 7

その3 なぞなぞ&クイズ 100

PART 3 マジやば！こわ〜い話

マンガ 登場人物紹介★

5人の修旅は、『心理テスト&ゲームBOOK』で120%楽しくなりそう♡

この本のハッピーポイント

『心理テスト&ゲームBOOK』には、楽しく読めるしかけが盛りだくさん！
何度読み返しても楽しめる本になっているよ♪

POINT 1 3つのメインパートでた～っぷり遊んじゃおう！

この本は、大きく3つのパートに分かれているよ。1つめが、みんながだ～い好きな心理テスト。2つめが、絶対盛り上がるゲーム&クイズ。3つめは、つい読みたくなっちゃうこわい話。興味があるパートから読んでみてね！

POINT 2 コラムも盛りだくさん！

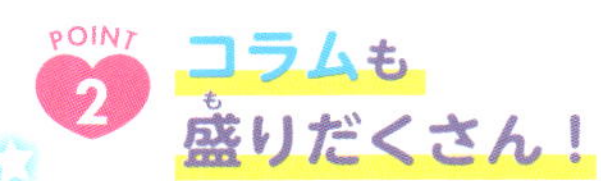

メインパート以外にも、ハッピーな情報が盛りだくさん♪　血液型や名前などでいろいろわかるうらないや、みんなでためしたい診断ゲーム、ちょっぴりこわい心霊体験ゲームも紹介！

POINT 3 毎日チャレンジ！おみくじ

右側のページの右はしには、おみくじがついているの！　毎朝この本をパッと開いて、今日の運勢をチェックしよう★

ラッキー★なつかしい人とひさしぶりに再会

POINT 4 おまじないで運気アップ★

左側のページの下にはおまじないが書かれているよ♪　運気をアップさせたいコは、ぜひチャレンジしてみてね！

おまじない
カレに手紙を書いたら、右下に青いペンで「○」をかいてみて。

POINT 5 ならべてメッセージをさがそう！

この本には、32コのキーワードがかくれているよ。すべて集めてページ順に読むと、メッセージが完成するから、さがしてみて♪　キーワードは、P.9～271にあるよ。答えはP.272へ！

＼ドキドキ♥／

PART 1 心理テスト

ホントの自分、友だち関係のこと、恋の悩みを心理テストでズバリ診断！　心友や、気になるカレといっしょにチャレンジしたら、盛り上がることまちがいなしだよ♪

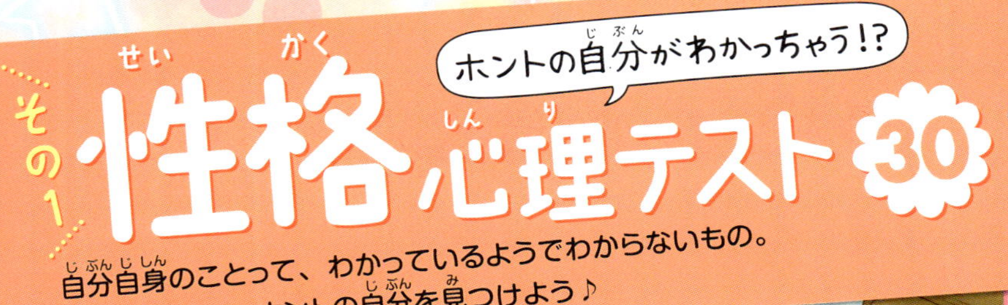

自分自身のことって、わかっているようでわからないもの。
30のテストで、ホントの自分を見つけよう♪

テスト1 もしもファンタジーの世界を冒険するなら?

ちょっぴりフシギなストーリー。自分だったらどうするか考えて答えてね。質問は全部で 12コあるよ!

Q1

ある日、道に落ちている
フシギなたまごを拾ったよ。
たまごは何色?

A 白

B シルバー

C ゴールド

Q2

たまごを持ち帰ったあなた。
さて、どうする?

B たくさん話しかける

C 毛布をかけて温める

D 音楽を聞かせてみる

Q3

たまごがかえって
中から生きものが!
それはどんな生きもの?

A 小型のドラゴン

B おしゃべりなネコ

C キュートな妖精

Q4

「ルル」と名づけたその
コが、話しかけてきたよ!
なんと言っている?

A 「あなたは選ばれたの!」

C 「はじめまして、よろしくね♪」

D 「世界を救って!」

Q5

ルルに連れられて、ファンタジーの世界にやってきたよ。さて、どんなところ？

 300年後の未来都市・トーキョー

 カントリー風のおだやかな街

 同い年のコがたくさんいる魔法学校

Q6

お城に行くと、王さまから魔王を倒してほしいと言われたよ。魔王は何をしたんだと思う？

 魔物を送りこんできた

B お姫さまをさらった

D 世界にほろびの呪いをかけた

Q7

王さまがあなたに武器をくれるみたい。どれをもらう？

 伝説の剣

 魔法の杖

 光の弓矢

Q8

これから向かうのは、魔王が住む闇の城。闇の城はどんな場所にある？

 空に浮かんでいる

 海の底

 魔物の森のいちばん奥

Q9

お城を出たら、モンスターがおそってきた！どんなモンスター？

 ドラゴン

 スライム

D ゴースト

おまじない キャンディーをコップに入れて2〜3回振ってから食べよう。近い将来、ステキなカレができるかも♥

Q10

魔王が話しかけてきたよ。
さて、なんと言ってきた？

- A 「じゃまをするなら受けて立つぞ！」
- B 「よくここまで来たな。だが終わりだ！」
- C 「世界の半分をあげるから仲間にならないか？」

Q11

ルルがとくぎで、魔王をたおすサポートをしたよ。
それは、どんなとくぎ？

- A 魔王の力を弱める光のカーテン
- C 魔王の動きを止めるストップ魔法
- D 魔王の攻撃をはね返す鏡のバリアー

Q12

魔王を倒したあなた。
ルルからもらったお礼は何？

- B 願いがかなうランプ
- C たくさんの財宝
- D ファンタジーの世界と人間の世界を行き来できるドアのカギ

あなたのタイプを診断！

選んだ答えの前についているマークをぬりつぶして、いちばん多いマークがあなたのタイプだよ♪　マークが同数の場合は、どちらの診断結果も参考にしてね★

A が多かったコは →14ページへ

B が多かったコは →15ページへ

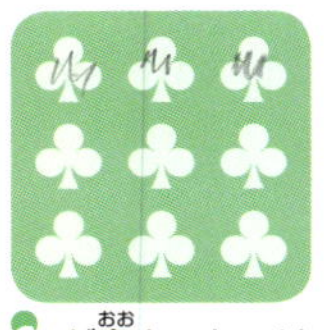

C が多かったコは →16ページへ

D が多かったコは →17ページへ

診断結果

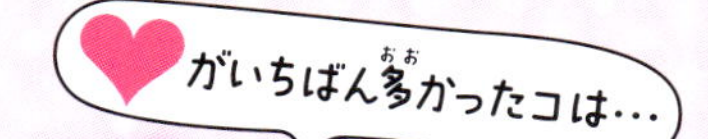

ぐいぐいリーダータイプ

こんな性格！ 思い立ったらすぐ行動！　センスがよく、楽しいことやステキなものを見つけ出すのが得意だよ。責任感がとても強いから、みんなを引っぱるリーダーポジションにつくことが多いみたい★

ラッキーアドバイス

恋のアドバイス

アプローチじょうずだけど、ガンガンいきすぎると相手がびっくりしちゃうかも。恋はかけ引き！　たまには引いてみるのも手だよ。

友だち関係のアドバイス

自分にも他人にもきびしいあなた。友だちとの会話でも、ついつい口調がきつくなりがち。たまには肩の力を抜いてね。

おしゃれアドバイス

「こういう服は似合わない」と思いこみがち。いろいろなデザインや色の服に挑戦してみて。意外な服が似合うかもしれないよ★

合言葉は？
自分を信じよう！

意外な弱点は？
思ったことがすぐ顔に出る

口ぐせは？
「わたしについて来て！」
「コレに決めた！」

おまじない
カレに手紙を書いたら、右下に青いペンで「○」をかいてみて。そこに息を吹きかけてから封をすると、いい返事がもらえそう！

元気いっぱいアイドルタイプ

こんな性格！ いつも元気いっぱいで、笑顔がチャームポイント！　はなやかなフンイキをもっているから、自然とまわりに人が集まってくるはず★　目立つためにはコツコツがんばれる、努力家でもあるよ。

合言葉は?
楽しんだもん勝ち！

意外な弱点は?
あきっぽいところ

口ぐせは?
「ねぇねぇ、聞いて！」
「おもしろ〜いっ！」

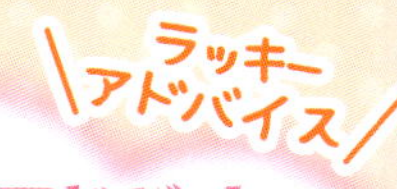

恋のアドバイス

モテモテで、異性の友だちも多いよ！　でも、本命に対してはオクテな一面が。友だち止まりにならないように、しっかりアピろう♪

友だち関係のアドバイス

自分中心に考えすぎちゃうところがあるよ。友だちのいいところをほめたり、ときには引き立て役を買ってでたりしてみて♪

おしゃれアドバイス

流行のアンテナはバッチリ！　だけど、流行に振りまわされすぎずに、"自分らしい"コーディネートを見つけられると、おしゃれ度がアップしそう♪

まあまあ★おさそいは受けたほうが◎。ハッピーな体験ができるよ♪

♣がいちばん多かったコは…

知的な優等生タイプ

こんな性格！ おっとりして見えるけれど、じつはしっかり者で、グループを目立たないところで支える秘書タイプ！　聞きじょうずで、チームワークを大切にするよ。ウソやズルがゆるせない、正義感の強い一面も！

合言葉は?
マジメに、コツコツ

意外な弱点は?
おくびょうなところがある

口ぐせは?
「マジメにやろうよ！」
「それわかる！」

ラッキーアドバイス

恋のアドバイス

はなやかな人へのあこがれから、モテる男のコを好きになりがちみたい。ライバルが多いから、負けないようにアピールは先手必勝！

友だち関係のアドバイス

ときには自分の意見をきちんと言おう！　いつもコツコツがんばっているあなたのこと、みんなちゃんと見ているはずだよ♪

おしゃれアドバイス

まわりの目を気にして、シンプルな服ばかり選んでない?　たまには、はなやかな色や柄の服を着てみよう。気分が明るくなるよ♪

おまじない　ピンクのおり紙を見つめながら、かわいく変身した自分の姿を想像してみよう。近いうちに、その姿が現実になるかも♥

♠がいちばん多かったコは…

才能豊かな個性派タイプ

こんな性格！ きらめく才能と、まわりの人とはちょっとちがう感性をもっているよ。情熱家で、「こう」と決めたことには、とことんのめりこみそう。友だち思いで、一度心をゆるした人は、ずっと大切にするよ。

合言葉は?
フツーじゃつまらない！

意外な弱点は?
打たれ弱い一面も

口ぐせは?
「こうしてみたら?」
「次はアレやりたい！」

ラッキーアドバイス

恋のアドバイス
昔の恋をいつまでも引きずってしまいがち。まわりをよーく見てね。運命の相手は、意外と近くにいるかもしれないよ★

友だち関係のアドバイス
個性が強いから、みんなといっしょに行動するのは苦手かも。自分勝手にならないように、まわりを見るクセをつけよう！

おしゃれアドバイス
まわりとはちょっとちがう、光るセンスをもっているみたい。小物をじょうずに使うと、さらにおしゃれになれそう♪

ラッキー★恋愛運が◎。カレもあなたと話したがっているかも…！

テスト 2
コーデにプラスするならどれ?

今日(きょう)は友(とも)だちとおでかけ。シンプルなコーデに、何(なに)か足(た)しておしゃれにしたい気分(きぶん)。さて、何(なに)をプラスしようか?

おまじない キレイな音がする小さなすずをカバンにつけておこう。出かけた先でステキな出会いがおとずれそう♥

まあまあ★ 元気にあいさつをすれば、新しい友だちができるかも！

1 レースチョーカー

2 ネオンカラーのネックレス

3 ミルキーカラーのキャップ

4 ポシェット

診断(しんだん)は次(つぎ)のページをCheck(チェック)!

このテストでわかるのは…

あなたのチャームポイント！

1 人なつっこい笑顔

明るくて、いつもニコニコしているあなた。その笑顔を見て、みんなもハッピーになるみたい！　あなたの笑顔に、いやしのオーラがあるのかもしれないね♡

2 はなやかなオーラ

大人っぽくて、センスがバツグンなあなた。みんなにとって、あこがれの存在になっているみたい。「マネしたいな」って思わせるミリョクがあるんだね♪

3 ハツラツとした行動力

行動力があって、まわりを引っぱる力をもっているあなたを、みんながたよりにしているよ。サービス精神があって、人を楽しませるパワーがあふれているね★

4 知的なたたずまい

あなたのミリョクは、あふれる知性。まわりから相談を受けることも多いんじゃないかな？　豊富な知識で、相手のためになるアドバイスができるなんてステキ♪

うちわやせんすに自分と誤解をときたい友だちのイニシャルを書いてあおごう。気持ちが風にのって、相手に伝わりそう★

気になる童話はどれかな？

ひさしぶりに、小さいころ読んでいた絵本を読んでみよう！
さて、気になるのはどの童話?

まあまあ★ いつもは読まないジャンルの本を読むと、新しい発見が！

診断は次のページをCheck!

このテストでわかるのは…

かくれているあなたのウラ性格

1 うっかりミスっコ

うらしま太郎を選んだあなたは、意外にドジで、うっかりミスをしがち。でも、「しっかりしているね！」って思われたくて、いつも気をはっているみたい。だいじなところでミスをして、「どうしたの!?」ってびっくりされちゃうかも！

2 うっとりナルシスト

金太郎を選んだあなたは、「わたしかわいくないよ～」なんて言いながら、じつは自分のことが大好き♡　おうちでは、鏡に映った自分にうっとりしちゃってない？　学校のトイレで「わたしかわいい♡」ってしてるとこ、見られないようにね！

3 ムフフ妄想っコ

もも太郎を選んだあなたは、とっても想像力が豊か。キリリとマジメな顔をしているときも、頭の中は妄想だらけ！　「マンガの世界にトリップしたら」とか、「あこがれのアイドルとつき合ったら」なんて妄想をくり広げているんじゃない？

4 キャハハ小悪魔っコ

かぐや姫を選んだあなたには、人を振りまわすのが大好きな一面があるみたい。自分のことを好きな男のコに思わせぶりな態度をとったり、「ナイショだよ」って言われた話を広めちゃったりしてない？　いつかバレて怒られちゃうかも……。

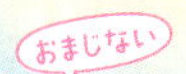

おまじない
言いすぎちゃったことを、友だちにあやまりたいときは、空飛ぶ鳥に「ごめんなさいを伝えて」と、お願いしてみよう！

どのポーチがかわいいと思う？

コスメを入れるポーチを買いに、ショップへやってきたよ。
あなたがいちばん気になるポーチはどれ?

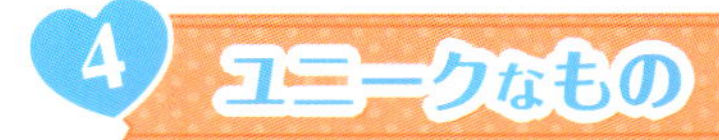

まあまあ★
友だちのお手伝いをしよう! 感謝されるよ♪

診断は次のページをCheck!

このテストでわかるのは…

あなたの学校での人気タイプ

1 まわりに一目置かれている！

あなたは、光るセンスをもっているとか、勉強ができるとか、芸術面で才能があるとか……。まわりから「あのコすごいな～」って一目置かれているみたい！　あなたと話したがっているコ、たくさんいそうだよ★

2 カリスマ性がある人気者！

キラキラのカリスマオーラをもっているあなた。特別なことをしなくても、自然とまわりに人が集まってくるみたい！　異性からもモテモテだけど、思わぬところでしっとされちゃうかも……。

3 大切な友だちがいればOK！

あなたは、みんなでワイワイするよりも、「本当に大好きな友だち数人といられればいい！」という気持ちをもっているみたい。そのぶん、一度心をゆるした相手は、心友としてずーっと大切にできるコだよ♪

4 ムードメーカー的な人気者！

明るくて元気いっぱいで、笑顔がステキなあなたは、クラスのムードを明るくする存在！　ほかのクラスのコや他校のコとも仲よくなれるみたい♪　あなたのまわりは、つねに笑顔であふれているんじゃないかな!?

おまじない　気になるカレの胸のあたりを見つめて、すれちがうときににっこり笑ってみて。カレもあなたが気になってくるかも♪

テスト 5

夢の世界で あなたがなりたいのは?

ピーターパンは妖精のティンカーベルといっしょに、ウェンディを空の旅にさそったよ！　あなたはこのなかのだれになりたい?

1 ピーターパン

2 ティンカーベル

3 ウェンディ

診断は次のページをCheck!

ふつう★ 忘れものに要注意！ ランドセルの中を確認しよう。

このテストでわかるのは…

あなたはどれくらい積極的？

診断

1 積極度90%

ピーターパンを選んだあなたは、好奇心がいっぱいでとっても勇気があるみたい！　新しいことに挑戦するのが大好きで、不安よりも「やってみたい！」という気持ちが強いタイプ。少しくらいの困難は、はねのけるパワーがあるよ♪

2 積極度10%

ティンカーベルを選んだあなたは、ひとりでは大胆な行動ができないタイプ。レジャーの計画も、友だちがどんどん進めて、あなたは聞いているだけ……なんて感じかも。でも、気配りじょうずだから、積極的な友だちのフォローは完ぺき！

3 積極度50%

ウェンディを選んだあなたは、自分から行動することはあまりないけれど、友だちといっしょなら大胆になれちゃうよ。消極的に見えるけど、意外にいろいろなことに挑戦しているんじゃない？　友だちが多いほど、積極的になれそう！

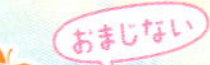

友だちの名前を紙に書き、その上に磁石を置いておこう。そのコと会話がはずんで、もっと仲よくなれちゃいそう♪

テスト 6 ジュエリーボックスの中で気になるのは？

今日は大切なおでかけの日！　下のジュエリーボックスの中で、あなたがひとつだけ身に着けるならどれ？

1 ネックレス

3 指輪

ラッキー★ 親しい人とひさしぶりに再会できる予感だよ♪

診断は次のページをCheck!

テスト6 診断

このテストでわかるのは…

あなたのプライドの高さ

1 プライドのかたまり！

ネックレスを選んだあなたは、プライドがかなり高め！　プライドを傷つけられると、ショックで立ち直れなくなっちゃうこともありそう。それをこわがると、つい自分の得意なことばかりつづけてしまうけど、ときには新しいことにも挑戦してみて！

2 ホントはプライドが高い！

イヤリングを選んだあなたは、プライドの高さをかくしているタイプ！　表には出さなくても、プライドを傷つけられると落ちこんでしまうみたい。いじられたとき、本音をかくして笑っちゃっていない？　たまには心をオープンにしてみよう！

3 プライドより大事なものがある！

指輪を選んだあなたは、あまりプライドがないタイプかも。もしかして、「わたしなんて……」って思ってない？　はじめからあきらめないで、もっと自分に自信をもって！　少しくらいプライドが高いほうが、ミリョク的に見えるものだよ★

おまじない
折り紙を7色用意して、紙吹雪をつくろう。カレの名前をとなえながら紙吹雪をまくと、カレをひとりじめできちゃうかも♪

写真のらくがき、何をかく？

なかよし3人組で写真を撮ったよ★
あなたがいつもするらくがきは、次のどれかな?

3 スタンプをたくさん押す！

4 日づけや遊びに来た場所

診断は次のページをCheck!

ラッキー★ 努力していたことが認められるハッピーな日になりそう♪

このテストでわかるのは…

テスト7 診断 あなたのポジティブ度

1 ポジティブ度は全開の100%！

「なかよし」や「大好き」って言葉をかならず書きたいあなたは、なんでも前向きに挑戦できる、スーパーポジティブなコ★ 「くよくよしている時間はもったいない！ 次はかならず成功するぞ!!」って、失敗をふきとばすパワーをもっているよ！

2 ポジティブ度はけっこう高め

顔にひげや耳をかいて、キュートに変身させちゃうあなたのポジティブ度は、70%というところ。「コレ！」と決めたことには前向きになれるタイプ。努力家さんで、願いごとや将来の夢をかなえるために、その前向きパワーを発揮できるはずだよ！

3 ポジティブとネガティブが半々

かわいいスタンプをたくさん押すあなたは、ポジティブとネガティブが半々、といったところ。得意分野では前向きだけど、興味がないことや苦手なことには、「やっても意味ないし」とネガティブになっちゃうみたい。たまには新しいことに挑戦してもいいかも！

4 もしかしてネガティブ!?

日づけや場所など、必要な情報をシンプルに書くあなたは、無理をしない、マイペースな性格みたい。「どうせわたしなんか……」って、新しいことにはなかなか挑戦しないんじゃない？ 最初からあきらめずに、いろいろ興味をもってみてほしいな♪

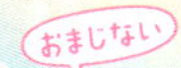

おまじない
テストのとき、消しゴムに矢印を書いて自分のほうに向けておこう。テスト勉強で覚えたことを思い出せるかも！

テスト8

Tシャツはどんな柄？

買いもの中のあなたは、あるTシャツにひとめぼれしたよ！
さて、それはどんな柄のTシャツだった？

1 花柄

2 水玉柄

3 キャラクターのロゴ

4 無地

いい日★学級文庫を整理すると、いいことがありそうだよ！

診断は次のページをCheck!

診断

このテストでわかるのは…

あなたのお金に対するケチ度

1 気前よく使っちゃう！ ケチ度5％

パーッと開く花のように、気前よくお金を使っちゃうタイプ！ ハデなことや、人の笑顔を見ることが大好きで、友だちにプレゼントする機会も多そう。ほしいものは全部買いたくなっちゃうけれど、おこづかいは考えて使うようにしよう！

2 ついつい買っちゃう！ ケチ度30％

水玉柄を選んだあなたは、アクセやステショなど、ちょっとしたものをちょこちょこ買っちゃうタイプ。お金を貯めたい気持ちはあるけれど、ついつい誘惑に負けて、「今月のおこづかいってもうないんだっけ?」ってあせっちゃいそう！

3 自分自身にお金をかける！ ケチ度60％

キャラクターのロゴを選んだあなたは、人のためではなく、自分のためにお金を使うタイプ。ほしいもののために、コツコツ貯金して、目標金額でほしいものを購入！ お金の使い方がじょうずなんだね♪ ケチ度は60％といったところ。

4 貯金が生きがい！ ケチ度95％

無地を選んだあなたは、お金をほとんど使わないみたい！ 将来のためって言いながら、おこづかいは全部貯めちゃう！ とはいえ、別にほしいものがあるわけではなく、「しゅみは貯金です★」って感じかな。ケチ度はすご一く高いよ！

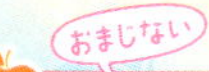

水をはった洗面器にバラの花びらを浮かべて、そっとかきまわしてから顔を洗ってみて。ステキな人に告白されちゃうかも♥

テスト9 アイドルの衣装をプロデュース！

なかなか人気が出ないアイドルグループの衣装をプロデュースすることになったよ。あなたなら、どんな服を着せたい？

1 制服風のプレッピーな衣装

診断は次のページをCheck!

まあまあ★ 友だちのこと、信じてあげて。もっと仲が深まるはず！

診断 テスト9

このテストでわかるのは…

あなたのかくれた才能

1 まわりを説得できるパワー

冷静に見えるけど、心の中に情熱を秘めているあなた。話し合いで意見が割れたとき、まわりを「なるほど！」と説得できるパワーをもっているよ。あなたが話しはじめると、みんな自然と聞き入ってしまうみたい。将来は、人の前で話す仕事がぴったりかも!?

2 みんなに愛されるキャラ

キュートな笑顔とけな気なフンイキをもつあなたには、どこか放っておけないミリョクがあるみたい。甘えじょうずだから、「○○が言うならしょうがないな～」なんてみんなメロメロ♡ 気がつくと、まわりに人が集まっているタイプだよ♪

おまじない 夜、寝る前にまくらを上下左右に合計7回振ってみよう。近いうちに、カレの気持ちをさぐるチャンスが訪れるかも！

まあまあ★新しいことをはじめるなら今日が最適♪

3 ひらめきの発想力

あなたのすごいところは、だれもが思いつかないような切り口から、キラリと光るアイデアを生み出す発想力！　持ちものがおしゃれだったり、思いつきでデコったステショがかわいかったりと、センスもバツグン★　みんなから注目されているよ！

4 注目を浴びる存在感

あなたは、不思議なミリョクをもっていて、注目をあびるのがじょうず！　大人っぽいオーラと、どうどうとした態度で、みんなに「すごーいっ」ってほめられるみたい♪　ただ、あなたの人気にしっとしちゃうコもいるから、注意が必要だよ。

テスト10 どのアトラクションで遊びたい？

遊園地にやってきた～！　どのアトラクションに乗ろうかな？
右のリストの中で、気になるものに5つまでチェックをつけて♪

おまじない
いつものヘアアレからひと工夫！　おでこと耳を出したアレンジをすると、新しい情報をキャッチできるんだって★

絶叫エリア

- ☑ ジェットコースター
- ☐ おばけやしき
- ☑ フリーフォール

メルヘンエリア

- ☐ メリーゴーラウンド
- ☐ 観覧車
- ☑ コーヒーカップ

まったりエリア

- ☐ 園内1周列車
- ☑ 3Dシアター
- ☑ おみやげショップ

診断は次のページをCheck!

いい日★ CDショップで新しい発見がありそうだよ★

このテストでわかるのは…

あなたの理想の自分！

どの「エリア」のアトラクションをいちばん多く選んだかな？
チェックの数が同じコは、よくばりさんなのかも！

絶叫エリアが多かったコは

明るくて社交的なタイプ

あなたがあこがれるのは、どんなコとでも仲よくなれる、明るい女のコ！　普段は少し引っこみじあんな性格なのかも？　でも、友だちになりたい気持ちがあればだいじょうぶ。自信をもって話しかけよう♪

メルヘンエリアが多かったコは

思いやりのあるタイプ

あなたは、相手の気持ちに寄りそえる、思いやりのあるやさしいコにあこがれているみたい！　普段はクールに見られて誤解されちゃうのかも？　でも、本当のあなたをわかってくれるコは、きっといるよ！

まったりエリアが多かったコは

なんでもできちゃうタイプ

頭がよくて器用で、な～んでもできちゃうスーパーマンみたいなコにあこがれているあなた。「すごい」ってほめられたい気持ちが強いのかも！　努力をすれば、きっと理想の自分に近づけるよ♪

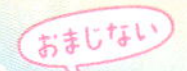

おまじない
手づくりのお菓子をプレゼントするときは、青いリボンでラッピングしよう。わたした相手と、もっと仲よくなれるかも♪

ノートのすみに何をかく？

昼休みのあとの授業は、なんだか眠くなっちゃう……。
眠気ざましにノートにらくがき。さて、何をかく？

1 パラパラマンガ

2 好きなキャラクター

3 先生の似顔絵

4 恋に効くおまじない

診断は次のページをCheck!

ブルー★ 得意な教科でミスをしちゃいそう。発言はしんちょうに！

このテストでわかるのは…

診断 あなたは空気が読める？

1 空気読みのエキスパート！

まわりの空気にいち早く気づいて、「こうしてほしいのかな?」ということを先まわりしてやってあげられるタイプ！　あなた自身、人を楽しませるのが好きなんじゃないかな?　そんなあなたは、空気読みのエキスパート！　みんなにたよられているみたい♪

2 読みすぎてつかれちゃう…

あなたは、「空気を読まなきゃ！」という意識が強すぎて、気づかれしちゃうタイプみたい。いつもまわりの顔色をうかがって、ビクビクしているんじゃない?　たまには自然体になって、肩の力を抜いてみて。自分の意見を言ったっていいんだよ♪

3 空気なんて読まないよ～

授業中にもかかわらず、大作イラストを仕上げちゃうあなたは、空気を読む気はさらさらなし！「人に合わせる必要なんてない。自分は自分だもん♪」と強気！じつは、その場の空気はバッチリつかめているけど、あえて読まないタイプみたい。

4 空気って……なあに？

あなたは、空気の変化には気づけないタイプ。みんながマジメな話をしているなか、ひとり妄想の世界へダイブ……、なんてこともありそう。マイペースなのもいいけど、たまにはほかの人が何を考えているか、想像しながら行動してみてね！

おまじない　月のキレイな夜に「月の女神よ、理想のカレとめぐり会わせてください」とお願いすると、理想の人に出会えるかも！

テスト12
無人島で助けてくれたのは？
大変！　あなたは無人島に流されてしまったよ！
さて、助けてくれたのは、どの動物だと思う？
1 ラクダ
2 サル
3 アライグマ
診断は次のページをCheck!
PART 1
ドキドキ♥心理テスト
超ラッキー★ 運気は絶好調！ 苦手なこともヨユーでクリアできそう♪

診断

このテストでわかるのは…

あなたのガマン強さレベル

1 ガマン強さMAX!!

ラクダを選んだあなたのガマン強さは最強レベル！　何かをはじめたら、最後までかならず成しとげられる根性の持ち主だよ。最初は苦手な分野でも、一生けん命つづけているうちに、いつの間にか得意になっていた、なんてこともありそう！

2 ガマンできない

サルを選んだあなたは、ガマンするのが何より苦手！　ほしいものは何がなんでもほしいし、苦手なことはすぐにあきらめたい！自分の感情にとてもすなおなコなんだね。まわりを振りまわしている可能性もあるから、ときにはガマンすることも大切だよ。

3 バランスがいい！

アライグマを選んだあなたは、ほどほどのガマン強さをもっているみたい。「苦手な教科の勉強は17時まで！」など、イヤなこととじょうずにつき合えるバランスのよさをもっているんだね。頭の回転がはやいから、トラブルにもうまく対処できそう！

おまじない
地面に足で円をかき、真ん中に縦に線を引こう。円のまわりを３周してから円の中心をふむと、次の日晴れそう♪

テスト13 悪魔があらわれた！それはどうして？

ある日、女のコの目の前に悪魔があらわれたよ！
女のコは、何をしちゃったんだと思う？

1 友だちにきついことを言った

2 ウソをついた

3 自分でよび出した

4 天使をよぼうとしてまちがえた

ふつう★ スポーツ運アップ！ 昼休みに体を動かそう♪

診断は次のページをCheck！

このテストでわかるのは…

こわいものは何!? あなたのビビり度

1 ビビり度30%

あなたは、めったなことではビビらない、強いハートをもっているよ。正義感が強くて、たよりにされることも多いみたい。だけど、意外にもピンチには弱いところが……。何かが起きたとき、急にキャラが変わっておろおろしちゃうかも!?

2 ビビり度60%

あなたがおそれているのは、悪魔よりも、人間関係がこわれちゃうことかも……!? 友だちとの仲がこわれないか、ヒミツがバレないかをいつも心配しているみたい。心配しすぎて自分の意見を言えないのもつらいよね。たまには気持ちに正直になろう。

3 ビビり度0%

あなたは、どうどうとしていて「こわいものなんてない!」という強気なタイプ。むしろ、「来られるものならどうぞ?」なんて、おもしろがっているみたい。その態度はカッコいいけれど、あんまりにも警戒心が薄いと、いつか危ない目にあうかも!?

4 ビビり度90%

じつは、とってもビビりさんなあなた。「何か起きたらどうしよう」「失敗したらどうしよう」と、いつも何かを心配しているみたい。用心するのはいいことだけど、ビビりすぎると何もできないよ。ときには大胆な行動に出ることも大事だよ!

おまじない

ペンポやステショなど、クローバーがモチーフのグッズを持ち歩くとクラスメートももっと仲よくなれるよ♪

テスト14

モデルにスカウトされちゃった！

街(まち)で突然(とつぜん)、スカウトの女性(じょせい)に声(こえ)をかけられちゃった！
あなたはどうする？　次(つぎ)の2問(もん)に答(こた)えてね！

Q1「モデルにならない？」とさそわれたよ。なんと答(こた)える？

A「なりたいです！」

B「うーん…」

Q2 モデルになったら、しばらく家族(かぞく)には会(あ)えないみたい。どうする？

A「それでもなりたい！」

B「絶対(ぜったい)にイヤ！」

診断(しんだん)は次(つぎ)のページをCheck(チェック)！

まあまあ★ なるべく笑顔でいてね♪ 悪い運勢をふきとばそう！

このテストでわかるのは…

診断 あなたはすなお派？ ガンコ派？

すご～くすなお！

人から言われたことを、すご～くすなおに受けとっちゃうあなた。無理な要求も「まぁいっか」って聞いちゃってない？　すなおなのはいいけれど、利用されないか心配……。

Q2がBのコは…

自分の気持ちに正直！

あなたは、自分の気持ちにとってもすなおなタイプ。ウソがきらいで正直者。人の話もきちんと聞いてから判断できるコみたい。だけど、自分にはちょっと甘いところも……。

Q2がAのコは…

決めたことはゆずらない！

自分で「こう！」と決めたことは絶対にゆずらないガンコタイプ。マイペースで、ひたすらわが道を行く性格みたい。でも、他人からの言葉で、意思を変えられる一面も。

Q2がBのコは…

すご～くガンコ！

だれがなんと言おうとゆずらない、超ガンコちゃん！　むしろ、人に言われるほど反対のことをしたくなっちゃうことも。もう少し頭をやわらかくしてみてもいいかも。

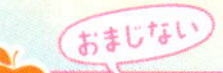

おまじない
とにかく金運をアップさせたい…！　そんなときは、部屋の西側に黄色い小物を置いてみるといいかも★

テスト15

物語を完成させよう！

小説家になりきって、5つの　をうめて物語を完成させて！
　の内容は、A～Cの3つから選んでね。

ぼくは、クラスメートのカノンちゃんに恋をしている。彼女はとても ① 女のコで、学校のアイドルなんだ。思いを伝えようと、 ② ラブレターを書いてみた。でも、 ③ ぼくは、とうとうわたすことができなかった。そうこうしているうちに、カノンちゃんは ④ 男子とつき合うことになったらしい。くやしいなぁ……。

①に入るのは…

A かわいい
B 元気な
C おしとやかな

②に入るのは…

A 一生けん命
B 徹夜で
C はじめて

③に入るのは…

A はずかしがりやの
B ダメな
C 自信がない

④に入るのは…

A イケメンな
B おぼっちゃまな
C 頭がいい

診断は次のページをCheck！

診断

このテストでわかるのは…

おすすめのストレス発散方法

A～Cの中で、答えの数がいちばん多いのはどれ？

Aがいちばん多いコは

友だちとワイワイしよ♪

あなたは、友だちとワイワイおしゃべりをすることで、元気があふれてくるタイプ！ モヤモヤするときは、友だちに相談してみよう♪ ストレスが解消するだけではなく、意外な解決法が見つかるかも！

Bがいちばん多いコは

好きなことに全力投球！

読書や音楽などのしゅみにのめりこんだり、お気に入りのアイドルを応えんしたり、新しい恋をはじめてみたり……。とにかく、好きなことに全力で取り組もう！ 夢中になって、ストレスなんてふきとんじゃうよ♪

Cがいちばん多いコは

スポーツでスカッとしよう！

いいお天気の日に、外で思いっきり運動をしよう！ 汗をたくさんかけば、いっしょにイヤなこともキレイさっぱり流せるはず♪ 家のまわりを全力で走るだけでも、気持ちはすっきりするもの。やってみて♪

2つ以上が同数のコは

とことん悩み抜いて！

あなたは、ほかのことに夢中になってさっぱりするより、とことん悩み抜いたほうがいいみたい。ストレスの原因を、しっかり考えてみて。「こうすればいいんだ！」って、きっと答えが見つかるよ★

おまじない
何かに迷ったら、両手に1つずつクルミを持ってこすり合わせてみよう。グッドアイデアをひらめいちゃうかも！

テスト16
ウエディングドレス、どれを着たい？
あこがれの結婚式を想像してみてね♡
あなたが着たいウエディングドレスは、次のうちどれかな？
1 ごうかなプリンセスドレス
2 ミニ丈のキュートなドレス
3 大人っぽいスレンダードレス
4 白むくの和服
診断は次のページをCheck!
PART 1
ドキドキ♥心理テスト
ふつう★ 友だちと楽しくおしゃべりできそう♪ キズナを深めて！

診断

このテストでわかるのは…

あなたの自己チュー度

1 自己チュー度90%

もしかして、超ワガママ人間かも!? 「自分が目立っていないと気がすまない！」なんて思ってない？　女王さまモードでいると、友だちや家族にあきれられちゃうかも……。

2 自己チュー度60%

普段はひかえめだけど、自分の言うことを聞いてくれる人には一気にワガママになっちゃうタイプ。友だちに対して「ほかのコと仲よくしないで！」ってしっとしちゃうこともありそう。

3 自己チュー度40%

あなたは、学校ではガマンしているけど、おうちに帰ると一気にワガママになっちゃう、かくれ自己チューさん。学校の不満も、おうちの人に話すとすっきりするよね。

4 自己チュー度10%

自分の気持ちより、相手の気持ちばかり考えてしまう、ひかえめなタイプ。ワガママな友だちに振りまわされてない? たまには、「わたしはこうしたい」って言っちゃおう！

おまじない
ハンカチのすみにローマ数字の「Ⅱ」をししゅうして持ち歩こう。大好きなカレと2人きりになれちゃうかも♥

子犬といっしょにおさんぽしよう！

かわいい子犬といっしょに、近所をおさんぽしよう！
さて、あなたはどこを歩く？

3 子犬の横にならぶ

診断は次のページをCheck！

いい日★友だちのいいところを探してみるとグッド！

このテストでわかるのは…

診断 あなたの本当のやさしさ

1 やさしさときびしさが半々

あなたはやさしいだけではなく、きびしさももっているよ。相談を受けたとき、「こうしたほうがいいかも」って、具体的にアドバイスができるタイプ！　きちんと話を聞いて意見をくれるあなたに、救われている人も多いはず♪

2 気まぐれなやさしさ

あなたは、ちょっぴり気まぐれなところがあるみたい。あるときは相談にのっても、気分がのらないときは「今日は別のコに相談して！」な〜んて言っちゃいそう。悪気があるわけではなくて、自分の気持ちに正直なタイプなんだよね。

3 天使のようなやさしさ

あなたは、自分が損をしてでも困っている人を助けたくなっちゃう、本物のやさしさの持ち主！　そのやさしさは、天使レベルと言ってもいいかも♡　だけど、おひとよしすぎる面があるから、悪い人にだまされないように気をつけてね！

おまじない
顔を洗う前に右手の薬指に水をつけ、おでこに３回円をかいてみよう。お肌がツルツルになるかも♪

ハッピーレッスン 1

名前うらない

名前は、あなたが毎日よばれる「音」。音の響きで、性格や運命が決められていくよ。名前の頭文字から、"自分"を知ろう♪

ラッキー★ 今日の給食で、大好物が食べられちゃうかも♥

あ段の名前のコは

名前の最初が、あ・か・さ・た・な・は・ま・や・ら・わのコ
例あんな、はな、まり

コミュニケーション力120点のリーダータイプ

コミュニケーション能力がバツグンで、どんな人とでも仲よくなれちゃうよ。好奇心いっぱいで、なんでも挑戦してみたいと考えているみたい！　めんどう見がいいから、みんなにたよられて、リーダー的存在になることも多いよ★

ラブ運は

男女問わず友だちが多いタイプ。本命のコにはヒミツを打ち明けて、「あなたは特別」ってアピールしよう♡

友情運は

交友関係が広いから、友だちが多そう！　心友がほしいコは、2人きりでいろいろな場所に行くのがおすすめ♪

頭文字別 ひと言性格診断

あ	行動力◎の積極派！	は	お人よしのお母さん系
か	しっかり者で気配り◎	ま	さわやかで笑顔が◎
さ	たよりになるリーダー	や	才能があって行動的
た	正義感が強いヒーロー	ら	好奇心◎でにぎやか
な	気が強く負けずぎらい	わ	テキパキ&おしゃべり

い段の名前のコは

名前の最初が、い・き・し・ち・に・ひ・み・りのコ
例しほ、みか、りこ

盛り上げじょうずなアイドルタイプ

笑顔がステキで、そばにいるだけでまわりが明るくなるアイドルみたいなコ！　みんなの注目を集めるのがじょうずで、イベントごとを盛り上げるのが大得意★　ちょっぴり気分屋で、ときにイライラすることもあるけど、すぐに切り替えられるよ。

ラブ運は

好きなカレに、深刻な顔で悩みを打ち明けて。いつも元気なあなたとのギャップに、ドキッとさせちゃお！

友情運は

「あ」段と「え」段のコとは心友になれるみたい。「う」段のコは、正反対だけどいいコンビになれそう♪

頭文字別 ひと言性格診断

- い　ニコニコおだやか～
- き　才能があってパワフル
- し　ガンコでがんばり屋
- ち　明るくてガマン強い
- に　根気と責任感がある
- ひ　チャーミングな人気者
- み　はなやかで情熱的
- り　ねばり強く前向き

おまじない
キレイな貝がらに名前を書き、ハンカチに包んで机の引き出しに入れておこう。あなたのミリョクを高めてくれそう！

う段の名前のコは

名前の最初が、う・く・す・つ・ぬ・ふ・む・ゆ・るのコ
例 くるみ、すずな、ゆな

コツコツ行動する努力家タイプ

人が見ていないところでもコツコツ努力できるコ！　実力は十分で、突然大きな賞をとったりして、まわりをおどろかせることもあるよ。自分の考えがしっかりあるから、口を出されるのは苦手。マイペースで、少しガンコな一面もあるみたい。

ラブ運は

自分からアピールするのがちょっぴり苦手みたい。手紙やメールでキョリをちぢめる作戦がおすすめだよ♪

友情運は

「い」段と「お」段のコと相性がよさそう！「え」段のコは、苦手意識がなくなれば大心友になれそう！

頭文字別 ひと言性格診断

- う　マジメできちょうめん
- く　人なつこくて人気者
- す　世話好きで一生けん命
- つ　意外と大胆な冒険家
- ぬ　おひとよしで消極的!?
- ふ　判断力&決断力◎！
- む　安心が大切な堅実派
- ゆ　ユーモア度◎で楽しい
- る　おとなしくておだやか

ブルー★ものを失くしちゃうかも。整理整とんを心がけて！

え段の名前のコは

名前の最初が、え・け・せ・て・ね・へ・め・れのコ
例えみ、せりか、ねね

頭の回転がはやい、情報屋タイプ

頭の回転も行動もすばやい器用な人！ 何をやってもうまくできちゃいそう。ユーモアのセンスがあって、おしゃべり。好奇心にあふれているから、トレンドをいち早く取り入れたり、学校のウワサ話をすぐに教えてくれる情報屋タイプだよ。

ラブ運は

せっかちだから、気持ちを落ちつけてくれるおだやかな相手が合うよ。そんなカレといるとほっと安らげそう。

友情運は

「あ」段、「い」段のコとは、とっても楽しく遊べるよ。「う」段のコは、あなたのよき理解者になってくれそう。

頭文字別 ひと言性格診断

- え 明るくてとても行動的
- け おおらかで笑顔が◎
- せ 頭がよくて努力家さん
- て 正直者でひかえめなコ
- ね 守りたくなるおひとよし
- へ マジメでしんちょう
- め クールで意外と心配性
- れ 機転がきいて器用

おまじない なかよしの友だちと同じグループになりたいときは、バナナに人数分のリボンを結んでから、皮をむいて食べてね♪

お段の名前のコは

名前の最初が、お・こ・そ・と・の・ほ・も・よ・ろのコ
例ここは、ともか、もね

めんどう見がいいロマンチストタイプ

世話好きで、元気のない友だちに「だいじょうぶ?」と声をかけられるとてもやさしい人。聞きじょうずだから、悩みを相談されることも多いはず。ロマンチストで、涙もろいところも。たまに、現実ばなれした空想をしていることもあるみたい。

ラブ運は

やさしくて、男子からモテモテ♡　意外とうっかりなところがあるから、包容力がある男のコが相性◎!

友情運は

同じ「お」段のコとの相性が最高!「う」段、「え」段のコは、話すほどに相手を理解できて心友になれそう。

頭文字別 ひと言性格診断

- お　マイペースでガンコ
- こ　やさしくてハデはNG
- そ　のんびり屋で協調性◎
- と　じゅうなんでおだやか
- の　スケールが大きい!
- ほ　感性が豊かな空想家
- も　健康的で元気いっぱい
- よ　かわいくて世話好き
- ろ　責任感が強く博識

ブルー★金運が下がっているよ。ムダづかいに注意してね!

テスト 18

朝起きたら顔が変わっていた!?

朝起きてふと鏡を見たら、別人に変身していたよ……！
さて、それはどんな顔だと思う?

おまじない
出かけるときはくつを右足からはいてみよう！ さらに、右足から一歩をふみだすとラッキーなことが起こるかも♪

1 あこがれの芸能人の顔

2 毛むくじゃらになっていた

4 友だちの顔になっていた

まあまあ★
思いきってモノマネに挑戦！ まわりを笑顔にできるよ。

診断は次のページをCheck!

このテストでわかるのは…

あなたがヒミツにしていること

1 大きな失敗をしてしまった

あなたは最近、テストで悪い点をとってしまった、友だちに失礼なことを言ってしまったなど、何か大きな失敗をしてしまったんじゃない? 次にまた同じ失敗をしないようにすれば、だいじょうぶ!

2 ナイショだけど好きな人がいる

あなたには、ズバリ好きな人がいる……!? でも、友だちが好きな人と同じだったり、かないそうもない恋だったりして、胸に秘めているみたい。心がモヤモヤするなら、信頼できる人に話してみてもいいかも。

3 見栄をはっていることがある

できないことを「できる!」って言ったり、持っていないものを「持ってる!」って言っちゃったり……。あなたには、つい見栄をはっちゃうクセがあるみたい。その場のノリで発言するのもほどほどにね!

4 苦手な友だちとつき合っている

あなたは、いつもいっしょにいる友だちが、ちょっぴり苦手なのかも。または、ほかのコと仲よくしてみたいと思ってる? 本音を言うのはむずかしいけど、ほかのコを交えてみんなで遊ぶと、少しキョリをおけるよ。

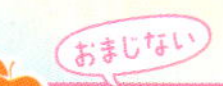

おまじない 部屋の南側にガラスの置物を置いて、毎日キレイにみがいてみて。少しずつ、直感力が高まっていきそう★

テスト19 はい、チーズ！ あなたはどこにいる？

学校の校外学習で、写真を撮ってもらうことになったよ♪
さて、あなたは普段、どのへんにいることが多い？

1 真ん中

2 はしっこ

3 前列でしゃがむ

診断は次のページをCheck!

ラッキー★思いがけない場所で好きなカレと出会えそう！

テスト19 診断

このテストでわかるのは…

あなたが心に秘めている願望

1 もっともっと目立ちたい！

写真撮影でつねに真ん中をキープするあなたは、とーっても目立ちたがり屋さん。発表会では、司会や主役などのできるだけ目立つ役をやりたいんじゃない？　もっとかがやくには、実力をつけること！　そうすれば、スター街道まっしぐら♪

2 人によく思われたい！

写真のはしに写るあなたの頭の中は、だれかに好かれたい気持ちでいっぱい！　まわりの目が気になってしかたないんじゃない？　でも、気にしすぎるとつかれてしまうよ。たまには肩の力を抜いて、ひとりの時間をつくってみてね。

3 自分の意見も聞いてほしい！

前列でしゃがむあなたは、とにかくいいコ！　気配りじょうずでやさしい心をもっているんだね。でも、気がまわりすぎて、自分のことをおろそかにしがち。本当は話したいことがあるんじゃない？　あなたの話を聞きたいコもいるはず！

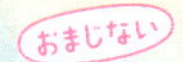

おまじない
黄色、青、緑、赤の4色のボタンを使ってカラフルなペン立てをつくろう。毎日使えば勉強運がアップしそう！

テスト20

女のコと恐竜はどんな関係？

女のコたちと恐竜は、どんな風に暮らしていると思う？
次の2問に答えてね！

Q1 女のコと恐竜の関係は？

A 仲よく暮らしている

B 戦っている

Q2 もしも自分が恐竜になるなら？

A ティラノサウルス

B トリケラトプス

診断は次のページをCheck！

ふつう★ 食欲が止まらな〜い！ 食べすぎには注意だよ。

テスト20 診断

このテストでわかるのは…

あなたは甘えんぼう or しっかり者？

Q1がAで、Q2もAのコは…

学校ではしっかり者

学校では「しっかり者」って思われているあなた。でも、家に帰ると甘えんぼうに大変身！　さびしがり屋で、おうちの人には甘えっぱなしみたい。自分でもそれは自覚していて、「おうちでの姿は見せられない！」なんて思っていそう。

Q1がAで、Q2がBのコは…

スーパー甘えんぼう！

だれがどう見ても、甘えんぼうなあなた！　友だちにも家族に対しても「○○やってほしいな♡」なんて甘えっぱなしなんじゃない?　でも、甘えじょうずだから、「しょうがないな〜」ってまわりの人に思わせるミリョクがあるんだね♪

おまじない
魚の形に切った紙をおサイフの中に入れておこう。来年はお年玉が期待できちゃいそう…!?

自立心が強いしっかり者

あなたは自立心があって、自分の力で行動できる人。甘えたいときもあるけれど、「迷惑はかけられない！」と、自分で行動することを選ぶみたい。強い気持ちをもってひとりで行動する姿はカッコいいけど、たまには甘えないとパンクしちゃうよ！

Q1がBで、Q2もBのコは…

じつはとってもしっかり者

あなたは、やわらかいフンイキだからか、周囲からは「甘えんぼうかな?」と思われがち。でも、本当は自分の考えをもっていて、超しっかりしているみたい！　強くてたよりになるから、そのギャップにみんなドキドキしちゃいそう♪

ラッキー★好きなカレと急接近しちゃう予感…♥

テスト21 シンプルなTシャツに合わせるのは？

おうちにあるシンプルなTシャツに合う服を探しに、
買いものにやってきたよ。あなたならどれを買う?

おまじない
髪をとかしながら「イアオ、イアオ」ととなえよう。毎日朝と夜にとなえると、髪が早くのびるかも♪

1 チュールスカート

2 柄スカパン

3 オールインワン

4 デニムパンツ

まあまあ★ ちがうクラスのコとも仲よくなれそうだよ！

診断は次のページをCheck!

このテストでわかるのは…

あなたのコンプレックス

1 人づき合いが苦手…

チュールスカートを選ぶのは、もっと積極的になりたい気持ちのあらわれ。あなたは、人づき合いが苦手で、友だちの輪にうまく入れないことにコンプレックスを感じているみたい。緊張しすぎると笑顔がかたくなっちゃうよ。気楽に話しかけてみよう♪

2 もっとかわいくなりたい！

キュートな柄スカパンを選んだあなたは、もっとかわいくなりたい、女のコっぽくなりたいっていう気持ちが強いみたい。強力な恋のライバルがいてあせっているのかも!? でも、じつは自分のミリョクに気づいていないだけかもしれないよ。あせらず、自分らしい“かわいさ”を見つけよう★

3 もう少しかしこくなりたい！

大人っぽいオールインワンを選んだあなたは、成績がよくないことにコンプレックスを感じているんじゃないかな? がんばりたいけど集中できないし、教科書を見ていると眠くなるし……。でも、「どうにかしたい」って思っているなら、努力しだいで絶対克服できるよ★

4 体型が気になる…

カジュアルなデニムパンツを選んだあなたは、体型をかくしたい気持ちが強いみたい。今の自分の体型に満足していないんじゃないかな? ファッション誌のモデルと自分をくらべて、ヘコんだりしなくてもだいじょうぶ！ ほっそりさんもぽっちゃりさんも、それぞれにミリョクがあるものだよ。

おまじない
白いリボンにカレの名前を書き、マグカップの取っ手に結ぼう。翌朝そのカップで水を飲むと、カレとおしゃべりできるかも♪

テスト22
ほめられていちばん
うれしいのは？
「今日の服、すごくかわいいね！」って、コーデを
ほめられていちばんうれしいのは、次のうちだれ?
1 お母さん
2 なかよしの友だち
3 好きなカレ
4 ライバルの女のコ
PART 1
ドキドキ♡心理テスト
ラッキー★
金運が上昇中！　おこづかいがもらえちゃうかも!?
69

このテストでわかるのは…

診断 あなたにぴったりのコーデ

1 通学にイチオシ！カジュアルコーデ

ナチュラルなかわいさがミリョクのカジュアルコーデがおすすめだよ♡　グリーンやブラウンなどのアースカラーや、デニムやシャツ、チェック柄のアイテムを投入して、ほっこりかわいくキメよ♪　通学にもイチオシのコーデだよ！

2 元気いっぱいスポポップコーデ

カラフルで元気いっぱいの、スポーティー&ポップなコーデがマッチしそう♪　色は、ビタミンカラーやネオンカラー、アイテムはナンバーTやスニーカーがおすすめ。ハデな色や柄がケンカしないように、バランスよくコーディネートしよう！

左手の小指にはちみつをつけて、その指でくちびるを３回タップすると、つやつやリップになれちゃうかも♥

3 ほんわかかわいい♥ ガーリーコーデ

あなたにおすすめなのは、ふんわり甘〜いガーリーコーデ♡　女のコっぽくてモテ要素がつまっているテイストだよ♪　取り入れたいのは、パステルカラーや、フリル、リボン、花柄、チュールレースなど。あわい色づかいで、ラブリーにまとめよ♪

ちょっと大人っぽいコーデに挑戦したいあなたは、小悪魔テイストがおすすめ！　モノトーンを基調に、ちょっぴりセクシーにまとめよう。シンプルになりすぎないように、カモフラ柄やビスチェ、メタリック小物などを取り入れるとおしゃれに♪

いちばん気になるカードはどれ？

タロットカードうらないに挑戦したあなた。
3枚のカードのうち、いちばん気になるのはどれ？

おまじない
コップに入れた水に、塩をひとつまみ混ぜてから飲み干そう。塩が心と体をキレイにしてくれそう♪

ラッキー★ 対人運が◎。クラスの人気者になれちゃう予感♥

このテストでわかるのは…

診断 あなたの買いものの傾向は？

1 とことん悩む派！

気になるものを見つけても、「本当に必要かな?」「どれくらい使えるかな?」と、じっくり悩んで決めるタイプ。買いものの失敗も少ないし、節約じょうずなんだね♪　でも、買いものに出かけて何も買わずに帰ってきた、なんてこともありそう！

2 運命を信じる！

普段はサイフのひもが固めだけど、ビビビッと運命を感じると、高いものでも迷わず購入しちゃうタイプ。少しでも「どうかな〜?」と思ったら買わないほうがいいみたい。自分の直感を信じたほうが、いい買いものができそうだよ♪

3 全部ほしいんだ！

あなたは、気になるものが多くて、ついついあれもこれも衝動買いしちゃうタイプかも。「限定品」や「今だけ値下げ」という言葉に弱くて、いらないものもとりあえず購入。あとで後悔しちゃうことも。買う前に、一度冷静になるクセをつけよう！

おまじない
青いペンポにむらさきのステショを入れておこう。頭がすっきりして、集中力がアップしそう♪

テスト24

宝物をうめるなら？

花だんに宝物をうめることになったあなた。
さて、次の4つのうち、どの場所がいい？

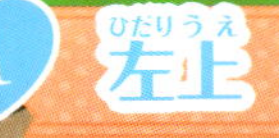

1 左上

2 右上

3 左下

4 右下

診断は次のページをCheck!

ふつう★ お買いもの運が◎。かわいいお洋服に出合えそう！

テスト24

このテストでわかるのは…

診断　あなたが本当に大切なもの

1 家族

あなたは、家族との関係を何よりも大切にしているみたい。おうちの人が決めた門限などのルールはきちんと守るし、お手伝いもちゃんとしているんじゃない？　家族もあなたのこと、ほこりに思っているはず！

2 友だち

友だちと遊ぶのが何よりも大好き！　学校は、勉強よりも友だちと会うために行っているタイプ。家にこもっているのは苦手で、社交的な性格！　あなたのまわりは、いつもたくさんの友だちがいるんじゃないかな♪

3 しゅみや夢

あなたには、絶対にかなえたい夢や、一生つづけたいと思っている大切なしゅみがあるんじゃない？　それが、毎日を元気にすごすエネルギーになっているんだね♪　あなたは、未来に向かって努力できるコみたい！

4 カレ

あなたは、恋をすることでかがやけるタイプみたい。宿題をやっていなくても、カレから連絡が来たらすぐに会いたくなっちゃう♡　ときには、友だちより、カレを優先してしまうこともありそうだよ……！

おまじない　部屋の東側に置いた時計に向かって、長針を指でくるっとまわすマネをしよう！　時間を有効に使えそう♪

テスト25

テーマパークの帰り道に…

クラスのグループでテーマパークへやってきたよ！
帰りに記念写真を撮ることになったけど、どこで撮ろう？

1 時計台の前

2 小川の橋の上

3 花だんの前

4 キャラクター像の前

診断は次のページをCheck！

ブルー★ 思った以上に体はつかれているよ。今日は早く休もう！

テスト25 診断

このテストでわかるのは…

あなたへのおしゃれアドバイス

1 服を着まわすセンス！

あなたは、トレンドを意識して最新のアイテムを購入しても、イマイチうまく着まわせないみたい。いつも似たようなコーデになっちゃうんじゃない?　ファッション誌を読んで、着こなしのテクを身につけよう！

2 流行チェックがあと一歩！

今のトレンドがよくわかっていないのかも！　はやりの色と柄、アイテムを知って、コーデに1つでも取り入れられると、グッとイマドキになれちゃうよ♪　小物をじょうずに活用して、コーデを楽しもう！

3 色のバランスがちぐはぐ

単品ではかわいいアイテムも、色のバランスを考えないと、コーデがちぐはぐになっちゃう！　ハデな柄どうしや、トーンがちがう色を組み合わせてない?　モノトーンをじょうずに使ってバランスをとってみて。

4 服がTPOに合っていない

あなたのコーデは完ぺき！　……なんだけど、着ていく場所をちょっとまちがっているみたい。運動をする日にフリルスカートで出かけたり、音楽祭でラフな服を着たり。シーンに合ったコーデを選ぼう♪

おまじない　告白を成功させたいときは、ピーチ味のお菓子をポケットに入れて、告白の前に食べよう！　恋愛パワーがアップしそう♥

テスト 26

今日のくつ下は何色の気分？

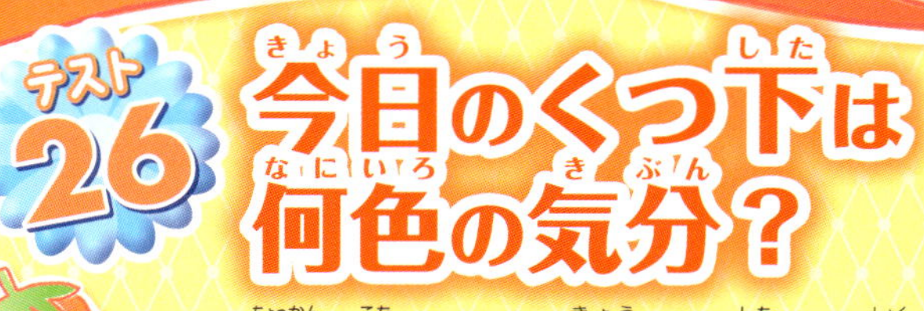

直感で答えてね！　今日のくつ下は、4色のうち何色の気分かな?

診断は次のページをCheck!

超ラッキー★ミラクルハッピーデー★　今日はなんでもうまくいくよ♪

テスト26

このテストでわかるのは…

診断

あなたが今抱えている悩み

1 人を信じられない

何かイヤなことがあって、人のことをうたがい中……。今はだれも信じられなくなっているみたい。もし、あなたの友だちが黒のくつ下をはいていたら、その日は遠まわしな言い方はやめて、本音で語り合ったほうがよさそうだよ♪

2 やる気はあるのにうまくいかない

赤を選んだコは、エネルギーにあふれていてやる気まんまん！　でも、なんだか空回りしてしまって、うまくいかない状態かも。友だちが赤のくつ下をはいていたら、「落ちついてやってみよう！」って、クールダウンさせてあげてね。

3 心と体がおつかれ気味

青を選んだコは、エネルギーが不足していて、心と体がちょっとつかれちゃっているのかも。友だちが青のくつ下をはいていたら、今はそっとしておいてあげて！　つかれているときにワーワー言われると、イライラさせちゃうかも。

4 自分に自信がもてない

キュートなピンクを選んだコは、ハッピーな気分だね♪　でも、心の中では「本当にだいじょうぶかな？」って、自信がもてない状態みたい。友だちがピンクのくつ下をはいていたら、「すごい！」ってほめて、自信をつけてあげよう♪

おまじない

厚紙を「♂」の形に切って表とウラに自分の名前を書いてね。紙全体を赤くぬって持ち歩くと、積極的になれちゃいそう。

テスト27 好きな男のコと同じテーブルに座ろう！

あなたが片思い中のカレが、大きなテーブルに座っているよ。
これはキョリをちぢめるチャンス！　さて、どこに座ろう？

☆の席　♥の席　◆の席

♣の席　♠の席

診断は次のページをCheck!

ふつう★ 本屋さんでステキな出会いがありそう！

診断

このテストでわかるのは…

あなたの幸せをつかむパワー

☆や♠を選んだコは…

直球アタックで幸せゲット

あなたは、自分の気持ちに正直で、思っていることがすぐ行動や顔に出るタイプ。また、プラス思考で、自分に自信をもっているみたい！　幸せをつかむチャンスがきたら、ちょっぴり強引にアタックしてでも、幸せをゲットしちゃうよ★

♥を選んだコは…

努力で幸せをゲット

あなたは、冷静にその場を分析できるタイプだね。ぐうぜんの幸せを喜ぶよりも、コツコツ努力をして自分を成長させて、幸せをつかむタイプみたい。マジメなのはあなたのいいところだけど、たまには大胆になってもいいかも！

♦や♣を選んだコは…

幸せを見逃しがち!?

あなたは、「わたしなんて……」って、意地をはってしまうことがあるみたい。そのせいで、目の前の幸せを見逃しちゃっている可能性も。ガツガツ幸せをつかむのははずかしいと思っているのかな？　たまには「自分も！」って、すなおになってみて♪

おまじない
太陽の絵をかいて部屋の高いところにはっておこう。毎日その下で勉強すれば、テストで1番をとれちゃうかも！

テスト 28

ばったり出会ったのはだれでしょう？

道を歩いていたら、目の前にびっくりするような人が！
さて、それはだれだと思う？

1 昔転校したおさななじみ

超ブルー★ミスが多い一日に。テストはしっかり見直そう！

診断は次のページをCheck！

診断

このテストでわかるのは…

10年後、あなたはどうなっている？

1 夢に向かってつき進んでいるよ！

あなたは、目標に向かってコツコツ努力ができるタイプ。10年後は、やりたいことを見つけて、夢のために一生けん命がんばっているよ。なりたい職業に必要な情報を集めたり、専門の学校に通ったりしているみたい。20年後、どうなっているか楽しみだね♪

2 カレとラブラブだよ♥

とってもロマンチストで、恋愛へのあこがれが強いあなた。10年後は、そんな思いが実を結んで、ステキなカレとラブラブに♡　学校やアルバイト先からいっしょに帰ったり、お休みの日にデートしたり。「いいなぁ」って思っている友だちも多そう！

3 友だちに囲まれているよ♪

明るくて社交的なあなたのまわりには、たくさんの人が集まってくるんじゃないかな？　10年後もそれは変わらず、友だちに囲まれているみたい♪　いっしょにアルバイトをしたり、ちょっと遠くに遊びに出かけたりして、充実した日々を送っているよ！

4 才能がバクハツしているよ！

あなたは、人とは少しちがう感性をもっているみたい。10年後にはそれが大バクハツ！　もしかして、ちょっとした有名人になっているかも……!?　このまま努力をつづければ、あなたの才能は花開くはず！　そのときに向かって、がんばって！

テストで悪い点をとったときは砂時計を使ってリセット！　砂を全部落としてからひっくり返すと、次はいい点がとれそう♪

テスト29 トラブル発生！そのとき、友だちのようすは？

友だちとの楽しい旅行の最中、トラブルが起きたよ！
そのとき、友だちはどんなようすだと思う？

2 あわててキョロキョロ

3 歩きまわる

診断は次のページをCheck！

ほどほど★「おやすみなさい」と大きな声で言ってね。よく眠れるよ。

テスト29

診断

このテストでわかるのは…

あなたにぴったりの仕事は？

1 バリバリ働く経営者！

あなたには、バリバリ仕事して、実力で成果を出すパワーがあるみたい。キャリアウーマンとして仕事をするうちに、いろいろな人に評価されて、いつの間にか社長に……なんて可能性も！将来、大金持ちになれちゃうかも♪

2 モデルや女優さん！

あなたは、人をひきつけるパワーをもっているみたい。たくさんの人の前に立つ、はなやかなお仕事がぴったりだよ！歌がじょうずなら、歌手やアイドルになってもいいかも♡　多くの人をメロメロにする大スターになれちゃいそう♪

3 デザイナーやマンガ家

あなたは、会社に入って働くより、ひとりでマイペースにお仕事をするのが合っていそう。デザイナーやマンガ家、発明家など、クリエイティブな仕事がぴったり！　あなたがつくったものが、世間で評判になっちゃうかも♪

おまじない　体育が苦手なコは、うさぎのぬいぐるみを体操着の上にのせておこう。うさぎのパワーで苦手をこくふくできそう♪

テスト30

絵にタイトルをつけてみよう

下の絵を見てね。あなたがこのイラストにタイトルをつけるなら、次のうちどれにする?

1 さよなら

2 友だち

3 出会い

診断は次のページをCheck!

ラッキー★ ひらめきの予感! 思いついたことはどんどん発言しよう♪

テスト30 診断

このテストでわかるのは…

夢にたどりつくために必要なこと

1 最後の押しの強さ！

あなたは、目標達成のためにきちんと努力ができるタイプ。でも、あと一歩のところで押しが足りなくなって、これまでのがんばりが実らない、なんてことがあるみたい。最後までガツガツつき進むパワーをもてば、夢の達成は近いよ！

2 ゆうわくに負けない心

あなたは、ちょっぴりあきっぽいところがあるみたい。目標に向かってがんばっているうちはいいけど、ほかに気になることができると、フラフラとそちらに心をうばわれてしまいそう。ゆうわくに負けない強い心をもって、最後までやり抜いて！

3 自分を優先しよう！

あなたはあきらめが早くて、「無理かも」って思ったら、すぐに投げ出しちゃうタイプ。それどころか、おひとよしで、ほかの人を手伝っちゃうことも。やさしいのはいいことだけど、自分の人生なんだから、自分を優先していいんだよ♪

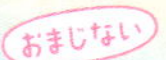

おまじない
青いリボンのついたヘアアクセを、授業で使うノートにつけておこう。その教科の成績がアップするかも♪

ハッピーレッスン

2 誕生日うらない

生年月日で、あなたの性格がまるわかり!?
ハッピーナンバーから導き出される、9つのタイプで診断！

まずは自分のハッピーナンバーをCheck！

① 数字をひとつずつならべて足そう
② ①の合計数を、ひとつずつ足そう

やってみよう！

たとえば誕生日が2008年10月25日のコは…

① 2＋0＋0＋8＋1＋0＋2＋5＝18

② 1＋8＝9　この数があなたのハッピーナンバー

②でも2ケタになっちゃった場合は、もう一度、1ケタめと2ケタめを足してね♪

ハッピーナンバーは全部で9タイプ！

1 のあなたは→ 90ページへ
2 のあなたは→ 91ページへ
3 のあなたは→ 92ページへ
4 のあなたは→ 93ページへ
5 のあなたは→ 94ページへ
6 のあなたは→ 95ページへ
7 のあなたは→ 96ページへ
8 のあなたは→ 97ページへ
9 のあなたは→ 98ページへ

自分のハッピーナンバーをチェックしよう！

ハッピーナンバー 1 キラキラアイドルタイプ

目立つのが大好きなみんなのアイドル！

パッと目をひくはなやかさをもっている、アイドルみたいなコ！　また、まわりから注目を集めるのが大好きな目立ちたがり屋さんでもあるみたい♪　おしゃれの勉強をしたり、習いごとをがんばったりと、注目されるために努力できるタイプだよ。

長所は

みんなのアイドルでいるために努力できるがんばり屋！　目標を決めたら、とことん一途になれるよ。

短所は

目立ちたいあまり、自分中心に考えがちな面が。ときにはほかのコを立てることも忘れずにね。

ラッキーポイント

カラー	オレンジ
ナンバー	5、7
フード	くだもの
プレイス	遊園地
アイテム	キャップ

おまじない　7色のペンで虹の絵をかき、ベッドの横にはっておこう。毎朝絵に向かって話しかけると、お話じょうずになれるかも★

ハッピーナンバー 2 おっとりピュアタイプ

ピュアな心をもっていて、損得を考えずに行動できるやさしいコだよ。困っている人を見たら、どんな状況でも手を差しのべられるタイプ！　まわりも、そんなあなたを自然とかわいがりたくなるみたい。本人も、甘えんぼうなところがあるよ。

長所は

だれに対してもやさしく接することができる、ピュアさがミリョク！　甘えじょうずでかわいい♡

短所は

おひとよしすぎるのがたまにキズ。「ノー」って言えないから、強引な人に利用されてしまうかも……。

まあまあ★タイミングが大切！　カレに話しかけるのは放課後が◎。

ハッピーナンバー

③ おしゃべりリーダータイプ

責任感のかたまり!? リーダーにぴったり！

思い立ったらすぐに行動！　積極的で、みんなを引っぱれるコだよ。自分のやるべきことは、責任感をもって最後までやり抜くパワーをもっているのがミリョク！　だれかと意見が対立したとき、熱意とパワフルな言葉で、相手を説得しちゃいそう！

長所は

積極的で責任感があるから、リーダーにぴったり！　イベントごとは絶対に成功させてくれそう♪

短所は

やや強引なところがあるみたい。気分がすぐに顔に出るから、まわりの人をおどろかせてしまうことも。

ラッキーポイント

カラー　レッド

ナンバー　1、5

フード　ハンバーグ

プレイス　山

アイテム　ミラー

おまじない

白い紙に自分の名前を書いて、ひと晩くつの中に入れておいて。次の日そのくつで出かけると、スラリとした脚に!?

ハッピーナンバー 4

しっかり完ぺきタイプ

おしとやかだけど、とってもしっかり者！

のんびりに見られがちだけど、本当は意思と気が強いコ。言わなければならないことは、遠まわしにせずきちんと発言するよ。マジメで、はじめたことは完ぺきにこなさないと気がすまない！　貯金が得意なタイプで、将来はお金持ちになりそう。

長所は

マジメでしっかりしているから、先生からとても信頼されているよ。大事なことを任せられる存在！

短所は

完ぺき主義を、友だちにも押しつけがち。つい、相手にきつい言い方をしてしまうこともあるみたい。

ラッキーポイント

- カラー　ホワイト
- ナンバー　6、8
- フード　おにぎり
- プレイス　図書館
- アイテム　手帳

ふつう★大切な話はナイショにして。すぐに広まっちゃいそう。

ハッピーナンバー 5

明るい自由人タイプ

いつも自由でいたい！明るさがミリョク

わくにハマらず、自分の道をひたすら走りつづける自由人。陽気でいつもニコニコしているから、見ているだけで元気になれそう♪　失敗しても引きずらず、ひと晩寝たら忘れちゃうタイプ！　毎日をハッピーにすごすのがじょうずなんだね♪

長所は

楽しいことを見つけるのが得意！　落ちこみ知らずで、暗い顔を見せることはほとんどないみたい。

短所は

思いつきで行動するから、失敗も多そう。また、自由人すぎて、団体行動が苦手な一面もあるよ。

ラッキーポイント

カラー　グリーン

ナンバー　1、9

フード　バーベキュー

プレイス　スタジアム

アイテム　ジーンズ

おまじない
赤いリボンを結んだ5円玉をくつ下に入れ、まくらもとに置いて眠ろう。気になっているカレとつき合えそう♪

ハッピーナンバー

⑥ 世話好きお姉さんタイプ

正義感が強くてとってもやさしい！

めんどう見がよくて、人のために何かをするのが大好きな人！　わけへだてなく親切にできるから、年下のコからたよりにされることが多そうだよ。また、正義感が強く、ズルをする人が大きらい！　みんなのお姉さんのような存在だよ。

長所は

だれに対してもやさしくできるのがいちばんのミリョク！　たくさんの友だちに囲まれていそう♪

短所は

お世話が好きすぎて、おせっかいになっちゃうことも。また、恋愛に関しては超オクテだよ。

ラッキーポイント

アイテム　ポーチ

カラー　ピンク

ナンバー　0、4

フード　和菓子

プレイス　自分の部屋

ハッピーナンバー 7

ホットな情熱家タイプ

好きなことへのアツさはピカイチ！

情熱的で、好きなことにはとことん燃え上がる、アツい心の持ち主。しゅみも多いけど、そのなかで「コレ！」というものを見つけてつき進みそう。将来は、芸術家になるかも！　また、愛情深く、一度心をゆるした相手は、心友としてずっと大切にするよ。

長所は

情熱的で、好きなことに対するパワーはだれにも負けないよ。また、だれよりも友だち思いなタイプ！

短所は

あきらめが悪くて、昔のことをずっと引きずりがち。落ちこむと、しばらく立ち直れないことも。

ラッキーポイント

カラー　パープル

ナンバー　2、8

フード　紅茶

プレイス　美術館、博物館

アイテム　キャミソール

おまじない　キレイな葉っぱを見つけたら、手帳にそっとはさんでおこう。思わぬところで友だちと再会できるかも！

ハッピーナンバー

8 ユニークな個性派タイプ

まわりとはひと味ちがうオリジナリティーがある

考え方がまわりの人とはちょっとちがう、個性派タイプ！　次から次へとユニークな発想をする、アイデアパーソンだよ♪　社交的で、友だちづくりがじょうずだから、いつも多くの人に囲まれていそう。将来は、クリエイティブな仕事がぴったり！

長所は

だれも思いつかないようなアイデアを生みだす才能の持ち主。友だちをつくるセンスもピカイチ！

短所は

ひとつのことに集中するのは苦手みたい。また、友だちは多いけど、心友とよべるコができにくいよ。

ラッキーポイント

カラー　シルバー
ナンバー　1、9
フード　パスタ
プレイス　学校
アイテム　缶バッジ

ハッピーナンバー

9 ほんわかモテタイプ

ニコニコ笑顔で男女問わずモテモテ♥

いつもニコニコ、人なつこくて親しみやすいから、男女問わずモテモテだよ♡　争いごとがきらいで、だれかがモメたら、そのいやしオーラでバシッと解決！　おしゃれが大好きでセンスもいいから、将来はファッション業界で大カツヤクかも!?

長所は

人なつこくて、だれからも好かれるモテオーラをもっているよ。とくに異性からの人気が高いの♪

短所は

好かれようとしすぎて、八方美人になりがち。相手の気持ちを考えすぎて、ストレスがたまるかも。

ラッキーポイント

カラー　イエロー

アイテム　スカーフ

ナンバー　3、7

フード　パン

プレイス　ファミレス

川や海などの水辺で「ニクス、ヴァッセルマン、ケルピー」と３回となえよう。好きな人ができるかも!?

タイプ別 なんでもランキング!!

9タイプを、いろいろなランキングで紹介！
思いがけないところにランクインしているかも!?

キレイ好きランキング

1位 ④ しっかり完ぺきタイプ

2位 ⑨ ほんわかモテタイプ

3位 ⑥ 世話好きお姉さんタイプ

センスがいいランキング

1位 ⑨ ほんわかモテタイプ

2位 ② おっとりピュアタイプ

3位 ① キラキラアイドルタイプ

年上からかわいがられるランキング

1位 ② おっとりピュアタイプ

2位 ⑨ ほんわかモテタイプ

3位 ⑧ ユニークな個性派タイプ

あわてんぼうランキング

1位 ③ おしゃべりリーダータイプ

2位 ⑤ 明るい自由人タイプ

3位 ⑧ ユニークな個性派タイプ

負けずぎらいランキング

1位 ① キラキラアイドルタイプ

2位 ③ おしゃべりリーダータイプ

3位 ⑦ ホットな情熱家タイプ

カンがするどいランキング

1位 ⑦ ホットな情熱家タイプ

2位 ⑥ 世話好きお姉さんタイプ

3位 ④ しっかり完ぺきタイプ

その2

友情心理テスト20♪

もっともっと仲よくなりたい！

友だちとのキズナを深めたいコ、関係性に悩んでいるコ必見！
友だちとのキズナを深めたいコ、関係性に悩んでいるコ必見！本当の関係がわかっちゃうかも!?
20のテストであなたとあのコの本当の関係がわかっちゃうかも!?

質問の答えによって進む方向が変わるよ！

スタート

今日は連休の最終日！
さて、何をしてすごす？

A もちろんおでかけ！

B 残った宿題をやらなきゃ…

学校の帰り道、
変わった落としものが。
それはなんだったと思う？

A 焼きそばパン

B 鍵盤ハーモニカ

文化祭で劇をやることに
なったよ。
あなたの役は何かな？

A お姫さまを助ける勇者

B どんな謎もといちゃう名探偵

なかよしの友だちと
お祭りに来たよ♪
まずは何をしよう？

A 射的で景品をねらう！

B かき氷を食べよう♪

るなはどうだった？

わたしはね、
えぇーっと…

おまじない
青いリボンを結んだブラシで髪をとかしながら「ヴァーゴ、ヴァーゴ」ととなえよう。サラサラヘアをゲットできるかも！

テスト1♪ あなたと友だちの関係をチェック！

あなたと友だちがどんな関係かわかっちゃう!?　友だちと同じテストに挑戦して、２人の結果をくらべてみよう♪

お母さんにおこづかいをもらったよ！使い道はどうする？
- A ずっとほしかったお洋服をゲット♥ → あなたが主人公の映画を…へ
- B マンガの新刊をまとめ買い！ → ある日、下駄箱の中に…へ

ある日、下駄箱の中に１通の手紙が。どんな内容だった？
- A 差出人不明のラブレター → あなたが主人公の映画を…へ
- B 宝のかくし場所を記した暗号 → 好きな学校行事は…へ

はじめてみたい習いごとはどっち？
- A 英会話 → 好きな学校行事は…へ
- B ボイストレーニング → ドキドキするのは…へ

あなたが主人公の映画をつくるとしたらどんな内容だと思う？
- A 甘ずっぱい青春ラブコメ → A
- B 汗と友情のスポ魂ムービー → B

好きな学校行事はどっち？
- A 運動会 → B
- B 音楽祭 → C

ドキドキするのはどっち？
- A おばけやしき → C
- B バンジージャンプ → D

いい日★ 放課後の体育館で運命の出会いがあるかも！

診断は次のページをCheck!

このテストでわかるのは…

診断

あなたと友だちのホントの関係性

あなたと友だちの診断結果を、右ページの表に当てはめてみてね！

前世はふたご!?

似たものどうしで相性バツグンのあなたたちは、もしかしたら前世はふたごだったのかも！　相手の気持ちにもいち早く気づけるから、いっしょにいるほど、どんどんキズナが深まっていきそうだよ♡

◆ だったあなたたちは…

家族みたいな仲

あなたたちは、言いたいことをなんでも言い合える、家族のような関係みたいだよ。ついつい言いすぎてケンカになっちゃうこともあるけれど、「しょうがないな～」って、家族みたいにすぐに仲なおりできちゃうよ★

おまじない
赤い花で押し花をつくり、ファッション誌の間にはさんでおこう。みんなのファッションリーダーになれるかも…!?

あなた ＼ 友だち	A	B	C	D
A	♥	♦	♣	♠
B	♦	♥	♠	♣
C	♣	♠	♥	♦
D	♠	♣	♦	♥

♣だったあなたたちは…

ベストパートナー

あなたたちは、2人でいっしょにいるだけで、いつも以上のパワーを発揮できちゃう最高のパートナー！　イベントごとは、2人に任せれば成功まちがいなし★　みんながみとめる名コンビになっているみたいだよ！

♠だったあなたたちは…

正反対でひかれ合う

性格が正反対のあなたたち。いっけん合わないように見えるけど、一度仲よくなったら、ぴったりくっついてはなれなくなっちゃいそう！　まさに磁石のSとNみたいなコンビだよ♪

まあまあ★ショッピングが吉！　ステキなものが手に入るかも♪

テスト2♪ 宇宙旅行へ出かけよう！

だれもが一度はあこがれる宇宙への旅……。
宇宙へのイメージをふくらませながら、7コの質問に答えてね♪

おまじない
明るい性格になりたいコは、明るいピンクの服や小物を身に着けてみて。理想の自分に近づけそうだよ♪

Q1 あなたは宇宙旅行をしてみたい？

Yes ／ No

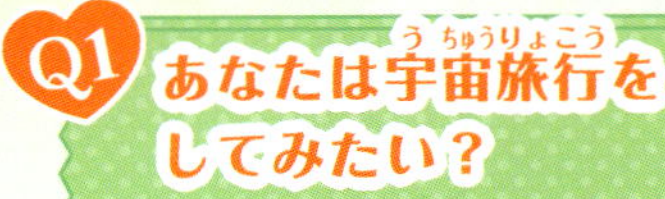

Q2 宇宙旅行をするなら最初は月がいい？

Yes ／ No

Q3 月には生きものがいると思う？

Yes ／ No

Q4 宇宙人は人間に似た姿だと思う？

Yes ／ No

Q5 流れ星に願いごとをしたことはある？

Yes ／ No

Q6 宇宙食を食べてみたいまたは食べたことある？

Yes ／ No

Q7 イラストの宇宙飛行士は男の人だと思う？

Yes ／ No

診断は次のページをCheck!

ふつう★ファッションセンスをほめられちゃいそう！

このテストでわかるのは…

あなたが人気者になるためにしたいこと

Yesが6コ以上　みんなに合わせてみよう！

協調性をもつことが、あなたの人気度アップのヒケツ！　まわりをよく見て、人に合わせて行動することが大切だよ。何かを決めるときは自分だけで答えを出さず、友だちの意見を参考にしてみると、もっといい結果が出そうだよ♪

Yesが4～5コ　思いきってイメチェンしてみよう！

思いきったイメチェンで、みんなの人気者になれちゃいそう！　髪型を変えたり、いつもとちがうコーデに挑戦したりしてみてね。見た目が変わるとフシギと性格も変わったりするもの。注目度アップまちがいなしだよ♪

Yesが2～3コ　得意なことをアピっちゃお♪

みんなに好かれるためには、個性をアピールする作戦がイチオシ。ダンスやピアノなど、なんでもOKなので、思いきってみんなの前で披露してみよう♪　意外な一面が話題になって、あっという間に人気者になれそうだよ★

Yesが0～1コ　人の悪口は言わないで！

友だちのことを悪く言わないのが人気者になるための近道。だれに対してもやさしく笑顔で接していれば、自然とあなたのまわりに人が集まってくるはず！　クラスメートに積極的に話しかけて、愛されガールを目指しちゃお♡

おまじない　自分が写っているお気に入りの写真に「キレイになーれ、キレイになーれ」と語りかけると、写真うつりがよくなるんだって♪

テスト3 迷路の印象はズバリ…!?

あなたはこの迷路、30秒以内に抜けられそう?
直感で答えてみてね♪

1 ヨユーで抜けられる!

2 たぶん抜けられると思う!

3 うーん…。むずかしいかも…

4 わからないけどとりあえずやってみる!

ブルー★ささいなことで友だちとケンカしちゃうかも…。

診断は次のページをCheck!

このテストでわかるのは…

診断 あなたが心友をつくるコツ

1 いつもいっしょに行動！

とにかくいっしょにいる時間を増やすのが◎。いっしょに帰ったり、2人で遊んだりしているうちに自然とキズナが深まっていくよ。まずは仲よくなりたいコに、積極的に話しかけてみよう！

2 同じ目標を探そう

同じ目標をもつ2人だからこそ、わかり合えることがあるみたい。夢に向かってはげまし合ったり、弱音を聞いてもらったりすることで、親密度がアップして心友になれそうだよ★

3 ヒミツを打ち明けよう

「2人だけのヒミツ」は、お互いの信頼があってこそ！　思いきって自分のヒミツを打ち明けてみよう★　「特別だよ」ってそのコにだけ教えることで、相手もあなたをグッと身近に感じられそう♡

4 相談にのろう

心友になりたいコの相談やたのみごとは、親身になって聞いてあげよう。相手が、いつも相談にのってくれるあなたのことをたよれる存在だと思うことで、今よりもっとキョリが近づくはずだよ！

おまじない
庭や植木鉢の土に指であなたのイニシャルをかいて、コップでゆっくりと水をそそごう。すなおな性格になれそう。

テスト4♪ 友だちをスイーツに当てはめよう！

デザートワゴンにならんだ色とりどりのスイーツ。
それぞれのスイーツのイメージに当てはまる友だちを
思い浮かべてみよう♪

診断は次のページをCheck!

このテストでわかるのは…

その友だちのこと、どう思ってる？

1 フルーツポンチのコは…

あこがれの存在！

あなたはじつは、そのコにあこがれて、「このコみたいになりたいなぁ～」って思っているんじゃない？　友情を深めるためには、尊敬していることをすなおに伝えてみると◎。

2 ゼリーのコは…

妹みたいにかわいい♥

そのコはあなたにとって、妹みたいな存在。ちょっぴりたよりない彼女を守ってあげたい気持ちでいっぱいみたい。度がすぎるとうっとうしく思われちゃうから注意して！

3 ガトーショコラのコは…

本当の心友！

ズバリ、あなたはそのコを心友だと思っているよ。考え方が似ているから、ケンカもほとんどしないし、大人になってもなかよしでいられそう♪　これからも2人の友情を大切にしてね！

4 チーズケーキのコは…

じつは苦手なコ

うーん……。もしかしたらそのコのことを、ちょっとだけ苦手だと思っているのかも。だけど、彼女はあなたに新しい刺激をくれる存在。思いきって話しかけてみよう♪

5 いちごショートケーキのコは…

いやし系マスコット

いっしょにいるだけでいやされる♡あなたにとってそのコは、かわいいマスコットみたいな存在だね。同じグループになったり、席が近くなったりすると毎日が楽しくなりそう！

6 タルトのコは…

たよれるお姉ちゃん

あなたにとって、困ったときに力になってくれる、たよれるお姉ちゃんみたいな存在。あなたはそのコのことを、とっても信頼していて、そばにいてほしいって思っているよ♪

おまじない　一度結んだリボンの両はしを軽くひっぱってほどいてね。それをポケットに入れておけば、スポーツが楽しくなりそう♪

テスト5♪ 忘れちゃったのはどれだった？

友だちの誕生日会に行くとちゅう、忘れものに気づいたよ。
さて、何を忘れちゃったのかな？

1 メッセージカード

2 ラッピング

3 プレゼント

4 誕生日をまちがえていた！

診断は次のページをCheck！

まあまあ★ 友だちに誤解されちゃうかも。すぐにあやまればだいじょうぶ。

このテストでわかるのは…

あなたが友だちにどう思われているか

1 しっかり者でたよれる！

しっかり者のあなたは、友だちから「何があっても守ってくれそう！」と思われているみたい！　だけど、あまりがんばりすぎないで。ときには友だちをたよって甘えてみると、もっとキズナが深まるはずだよ♪

2 おしゃれであこがれちゃう♥

あなたは、グループのファッションリーダー的存在みたいだね。みんなあなたのセンスをうらやましいと思っているよ♡　さらにおしゃれにみがきをかければ、クラスや学年の人気者になれちゃいそう！

3 すなおでいやされる♪

すなおでおっとりした性格のあなた。友だちからは、グループ内のいやし系マスコットみたいな存在だと思われているみたい♡　まわりを笑顔にできる才能があるあなたのところには、つねに友だちが集まってくるよ♪

4 やさしくてなんでも相談できる！

やさしい性格で、困っているコを放っておけないあなた。友だちからは、なんでも相談できるお姉ちゃんのように思われているよ！　あなたと話すだけで、「フシギと気持ちがラクになるな〜」って思っているコが多いみたい♪

おまじない
三日月の夜に、シルバーのアクセを月にかざしてから身に着けよう。告白する勇気がわいてきそう！

テスト6 パズルにチャレンジしよう！

下のパズルにかくれている、くだものの名前を探してね！
30秒間でいくつ見つけられるかな?

し	ん	ぶ	ん	し	ゆ	う
み	に	く	ま	ん	と	み
か	し	よ	う	か	き	か
ん	ら	め	ろ	ん	う	ら
て	ぱ	い	ん	せ	い	ま
ん	い	ろ	か	ん	さ	つ

1 4コ以上見つけた

2 1～3コ見つけた

3 1コも見つからない…

診断は次のページをCheck!

このテストでわかるのは…

あなたと心友になれるのはこんなコ！

★パズルの答えは、みかん、かき、めろん、きうい、ぱいんの5つ！

1 テキパキしているコ

3コ以上見つけたあなたは、直感力がするどいしっかり者。そんなあなたの心友には、似たものどうしでテキパキしているコがぴったりだよ♪　頭の回転がはやい2人なら、勉強や旅行の計画もはかどることまちがいなし！

2 盛り上げじょうずなコ

あなたにぴったりなのは、盛り上げじょうずで協調性のある女のコ。どんなタイプのコとも仲よくできるあなたたちは、お互いに出しゃばることが少ないぶん、ほどよいキョリ感を大切にしながら信頼関係を築けそうだよ♪

3 のんびりしたコ

のんびり屋さんのあなたは、細かい計画を立ててテキパキ動くのはちょっぴり苦手。そんなあなたには、同じくおだやかでおっとりしたコが相性◎。ずっといっしょにいてもつかれない、のんびりとしたつき合いが理想だよ！

おまじない
左の手のひらに「人」と書いて、右手の人差し指で3回こすって。その指をくちびるに当てると、緊張がほぐれそう。

テスト7♪ 友だちへのプレゼントは何にする？

いつも仲よくしてくれている友だちにプレゼントを用意！　何をあげたらよろこんでくれるかな？

1 ヘアアクセ　　2 ステショ

3 ぬいぐるみ　　4 ゲーム

診断は次のページをCheck!

ふつう★ 体を動かして気分転換をすると、運気がアップするよ♪

このテストでわかるのは…

あなたの友だち思い度

1 友だち思い度90%

友だちのことをいつも思いやっているあなた。自分よりも友だちを優先できる、とてもやさしい性格の持ち主だよ。だけど気をつかいすぎて、自分のことを後まわしにしちゃうことも……。たまには思いきって、友だちにも甘えてみてね♡

2 友だち思い度70%

気配りじょうずなあなたは、友だちへの思いやりもじゅうぶん！　相手のしてほしいことを感じとることができるから、まわりから感謝されることも多いんじゃない？今みたいに友だちを大切にしていれば、これからもっと友だちが増えそう♪

3 友だち思い度50%

あなたの友だち思い度は50%くらい。いつもは友だちを思いやれるあなただけど、場合によっては友だちよりも好きなカレを優先しちゃうことがあるのかも……!?友だちづき合いに波があると、調子がいいコだと思われちゃうかもしれないよ！

4 友だち思い度30%

ちょっぴり自己チューなところがあるあなたは、思いやり度はやや低め。友だちのことを考えずに、自分を優先してしまっていることがあるんじゃないかな？　友だちの気持ちを気にかけられるようになれれば、もっとキズナが深まるはずだよ♪

おまじない
勉強中だけど、どうしても眠い…。そんなときは、紙に細かいあみ目をかいて机の上に置いてみて。頭がすっきりしそう★

テスト8

何をおうちにしようかな？

ある日とつぜんハムスターになってしまったあなた。
ハムスターとして生活するなら、何をおうちにして暮らしたい？

1 たまごパック

2 ペットボトル

3 なべ

4 ビン

診断は次のページをCheck!

まあまあ★勉強運がよさそう！　苦手な教科にもチャレンジして♪

診断

あなたの友だちとのつき合い方

1 グループでいるけど、じつはひとりが好き！

いつもはみんなといるけど、じつはひとりでいたいと思っているみたい。グループでは聞き役になることが多く、ちょっぴり無理していないかな？　まわりに合わせすぎてつかれちゃう前に、息抜きしてみよう★

2 リーダー、または子分になる!?

ペットボトルの上のほうと下のほう、どちらに住むのを想像した？　上を想像したあなたは、責任感が強いリーダータイプ。下を想像したコは、リーダーについてまわる子分みたいなつき合い方をしているのかも!?

3 みんなといるのが大好き！

あなたは、みんなと楽しくすごすのが大好き！　協調性が高く、グループでのイベントをじょうずに盛り上げられるよ。友だちづき合いはバッチリだけど、ひとりでいると不安になるようなら、ちょっと注意が必要かも。

4 ひとりでいたい！

ひとりですごすのが好きなあなた。大人数のグループでいるよりも、自分の好きなようにすごすほうが快適なんだよね♪　だけど自分の世界に閉じこもらず、たまにはまわりのコと話してみて。いい刺激がもらえるはず！

おまじない
スプーンにリボンを結んだものをバッグに入れて持ち歩くと、女子力がアップするかもしれないよ♥

テスト9 ちぎれた写真に写っていたのは？

右側がちぎれてしまった1枚の写真。ここには何が写っていたと思う？　次の3つから選んでね！

1 もうひとりの友だち

2 サーファー

3 ヨット

ラッキー★ 好きな人に近づく大チャンス！ 積極的に行動しよう♥

診断は次のページをCheck!

このテストでわかるのは…

仲よくなるとあなたはどうなる…!?

1 友だちにべったりに♥

あなたは、仲のいい友だちができると、そのコしか見えなくなっちゃうタイプ。「学校だけじゃなく、休みの日までいっしょにいたい！」なんて思ってないかな？ ベタベタしすぎて、ほかのコに冷たくならないように気をつけようね♪

2 ちょっぴりワガママに

あなたは、なかよしの友だちの前ではワガママになっちゃいそう。相手のことを考えずに、自分の意見ばかり言っちゃってない？ ワガママばかりだと、いつの間にか友だちがはなれていってしまうから、相手の言葉にも耳をかたむけてね♪

3 友だちのマネっこ！

あなたは、友だちに影響されやすいタイプみたい。そのコのやっていることを、すぐにマネしたくなっちゃうよ。友だちのいいところをお手本にするのはいいけど、服装や髪型など、マネをしすぎて困らせないように気をつけて！

おまじない
ついてないと感じるときは、玄関のドアの前でパンを食べてみよう。気分がすっきりして、運気もアップ…!?

テスト10 本屋さんで気になる本は？

いろいろな本がならんでいる本屋さんにやってきたよ。
さて、あなたはどの本が気になった？

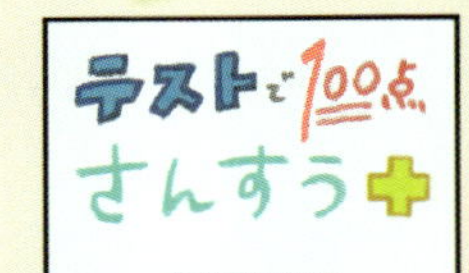

ふつう★給食に、苦手なメニューが出ちゃうかも…。

診断は次のページをCheck！

このテストでわかるのは…

ピンチのときにあなたを助けてくれるのは？

1 男友だちやカレ

異性がいいアドバイスをくれそう。自分では考えつかないような解決策を教えてくれそうだよ。ピンチのときは、思いきって大好きなカレや男友だちをたよってみて。あなたのピンチを救おうと、一生けん命になってくれるはず！

2 おうちの人

あなたにとって、困っているときにいちばんたよりになるのはおうちの人！　何がベストな解決策か、いっしょに考えてくれるはずだよ！ちょっと照れくさいけど、すなおに相談してみよう♪　苦しい気持ちがすっと楽になりそう！

おまじない
けんしょうを当てたいときは応募ハガキに金のシールをはってみて。当選率がグンとアップしそう♪

3 学校の先生

悩みは、学校の先生に相談してみよう！　いろいろな経験のなかから、ベストなアドバイスをもらえるはずだよ♪　担任の先生に相談しにくい場合は、保健室の先生や、クラブ活動のこもんの先生に相談してみてもいいかもしれないね！

4 仲のいい友だち

やっぱりたよりになるのは、なかよしの友だち★　あなたのことを知りつくしている友だちなら、親身になって解決策を考えてくれるはず！2人のキョリもグッと近づくよ♪　もちろん、友だちが悩んでいるときは、あなたが話を聞いてあげてね。

5 ライバルのコ

あなたを助けてくれるのは、意外にもライバル的存在の女のコ！　あなたのことをみとめていて、意識しているからこそ、ピンチのときは放っておけないのかも。仲のいい友だちに相談しにくいことも、ライバルにはすんなり話せちゃうかも♪

診断は次のページをCheck!

ブルー★ライバルに先をこされてモヤモヤ…。ここで引いちゃダメ！

ハッピーレッスン

3 血液型うらない

血液型で、あなたのタイプと友だちとの相性がまるわかり！
さっそくチェックしてみよう♪

A型 マジメで聞きじょうず！

A型は、マジメながんばり屋さんタイプ。自分の仕事に責任をもって取り組むから、先生や友だちからの信頼もアツいよ♪　みんなの意見をまとめるのがじょうずで、クラス会の司会なんかもバッチリ！　だけど、ちょっぴりしんちょうすぎる一面も……。タイミングをはかりすぎて行動を起こせないこともあるから、ときには思いきった決断も必要かも！

A型との相性	B型との相性	O型との相性	AB型との相性
相性バツグン！　マジメな性格どうし話も合うよ。信頼関係で結ばれた最高のパートナーになれそう♪	いきあたりばったりのB型のコといると、マイペースな行動に振りまわされちゃうことが多いかも!?	A型とO型は、お互いを尊敬し合える関係。すなおに気持ちを伝えることが、キズナを深める近道だよ！	あまり自己主張をしないAB型のコとは、仲よくなるまでに時間がかかるかも。ゆっくり信頼関係を築こう。

おまじない
自分の写真の頭のところにうすく王冠をかいて置いておくと、みんなからたよられる存在になれちゃうかも★

B型 明るくて集中力もバツグン！

明るく元気で、どんなコともすぐに打ちとけられるB型。とっても好奇心旺盛で、興味があることにはとことん集中できるから、写真会や学芸会などの学校行事では大カツヤクできることまちがいなしだよ！　ただし、あまり関心のないことになると、とたんにダラダラしちゃいそう……。まわりをよく見て、ときにはその場のフンイキに合わせることも大切だよ！

いい日★勉強がはかどりそう！　テストでいい点とれちゃうかも!?

A型との相性

自由でいたいB型は、きっちりしているA型のコが立てた計画を、ちょっぴりきゅうくつに感じちゃうかも。

B型との相性

マイペースなB型どうしは、ある意味最強コンビ。同じしゅみをもったコなら、一気に関係が深まりそう♡

O型との相性

おっとりしているO型とは相性バツグン！　自分の意見をきちんと言い合えるから、長く関係がつづきそう♪

AB型との相性

仲よくなるのに時間がかかるけど、心をゆるし合うと、欠点をカバーし合える最高のパートナーになれるよ♪

O型 正義感のあるリーダータイプ

おおらかで正義感の強いO型は、無意識のうちにみんなをまとめる才能をもっているよ。おしゃべりじょうずで、友だちを楽しませるのが得意なので、いつの間にかまわりに人が集まっている……なんてこともありそう！　裏表がない、すなおな性格なので、信頼されていて、友だちからはとても好かれるけど、正直すぎてついホンネが態度に出ちゃうことがあるから注意してね。

A型との相性	B型との相性	O型との相性	AB型との相性
お互いを思い合える関係になれそうだよ。あなたから先に歩みよってあげれば、キョリがグッと近きそう！	マイペースなB型とは意外に相性がいいみたい。甘やかしすぎず、よくないことは「ダメ」って言おう♪	人をほめるのはじょうずだけど、ほめられるのはちょっと苦手。そんなO型どうしは、相性はまあまあかも。	ホンネをあまり見せないAB型とは、かみ合わないことが多そうだよ。ほどほどなキョリ感でつき合うのが◎。

おまじない
夜、寝る前に星空を見上げながら、指で空に「☆」マークをかいてみよう。クラスの人気者になれちゃうかも！

AB型 センスがよくてあこがれの存在

どこかおしゃれな雰囲気があるAB型は、みんなから尊敬されるような、独特のセンスの持ち主。クールでミステリアスなイメージから、ときには冷たい性格だと思われてしまうこともありそう……。積極的に自分の意見を話すようにすることで、クラスメートともっと親密になれるよ♪ ただし、仲よくなるとそのコばかりに尽くしてしまう一面があるので要注意！

A型との相性

どちらも自分をアピールしたがらないから、ケンカは少ないけど、打ちとけるまでに少し時間がかかりそう。

B型との相性

自分にはない才能をもったB型とは相性◎！ お互いの欠点をカバーしながら、いい関係をつくれるよ♪

O型との相性

O型のストレートな言動はちょっぴり苦手。うまくやっていくコツは、適度なキョリ感でつき合うことだよ。

AB型との相性

AB型どうしは相性バツグン！ お互いのことを知りつくした、ふたごみたいな関係になれそうだよ♪

血液型別 男のコの性格診断

A型の男のコ

マジメな優等生タイプ。ルールを守るのはもちろん、「もっとがんばるべき」と自分に対してもきびしいところがあるみたい。きっちりしたイメージだけど、内面はおだやかでやさしい心の持ち主だよ。

B型の男のコ

個性的でマイペース、つねにわが道を行くタイプ。変わったものが好きで、おどろくようなアイデアでまわりを楽しませるよ。思いつきで行動して失敗することも多いけど、にくめない愛されキャラ♪

O型の男のコ

一度決めたらとことんがんばる、熱血タイプ。負けずぎらいで子どもっぽい一面もあるけど、そのために人一倍努力できるのがO型の男のコ。めんどう見がよくて、クラスのリーダーにもぴったり！

AB型の男のコ

なんでもそつなくこなせるクールなAB型。頭の回転がはやくて才能もあるけど、人に本心を見せるのはちょっぴり苦手。メルヘンな世界やかわいいものが好きという意外な一面もありそう！

おまじない
2本の輪ゴムをつなげてペンポの中に入れておこう。友だちとのキズナが深まって、グループ学習がうまくいきそう！

テスト11 プンプン！ 怒っているのはどうして？

友だちに対してとーっても腹を立てているあなた。さて、それはどうして？　特定の友だちを思い浮かべてね。

1 先に帰っちゃった

2 待ち合わせに遅刻された

3 先にケータイを買っちゃった

まあまあ★告白のチャンス到来!?　落ちついてがんばって！

診断は次のページをCheck!

診断

このテストでわかるのは…

あなたが友だちに求めていること

1 相談にのってほしい

あなたは今、友だちに相談したいことがあるんじゃない？　だけど、2人だけで話をするタイミングがなくて、ちょっぴり不安になっているのかも。「相談したいことがあるの」とすなおに伝えれば、あなたと話す時間をつくってくれるはずだよ♪

2 ワガママはやめて！

友だちのワガママな言動にイライラしているのかも!?　このままだと、どんどんワガママがエスカレートする可能性があるから、直してほしいことは早めに伝えたほうがよさそう。友だちにとってもプラスになることだから、勇気を出して！

3 心友になりたい！

あなたはそのコと心友になりたいと思っているのかも。だけど、ほかのコとも仲よくしているそのコを見て、ヤキモチをやいてない？　「自分とだけ仲よくしてほしい！」という気持ちが相手に伝わると、ワガママだと思われちゃうかも……。

胸の前で両手を「×」の形にして「シャプリリ、シャプリリ」ととなえると、かぜが早く治るかも！

テスト12♪

悪魔(あくま)の意外(いがい)な弱点(じゃくてん)とは？

いじわるな悪魔(あくま)にも、はずかしい弱点(じゃくてん)があるんだって！
さて、それはいったいなんでしょう?

1 親(おや)がこわい

2 虫(むし)がきらい

3 さかあがりができない

4 じつは泣(な)き虫(むし)

診断(しんだん)は次(つぎ)のページをCheck(チェック)!

PART 1 ドキドキ♥心理テスト

ほどほど★いろいろ考えて眠れなくなりそう。ホットミルクを飲もう。

このテストでわかるのは…

あなたが苦手な友だちのタイプ

1 なんでもたよってくるコ

たよりにされるのはうれしいけど、なんでもあなたをたよってばかりのコを相手にすると、「たまには自分でやってよ！」って、少しうっとうしくなっちゃうよね。あなたならなんとかしてくれると思われているのかも……。ときには、きっぱり断ることも大切だよ！

2 エラソーなコ

あなたの苦手なタイプは、いつも上から目線でエラソーな態度のコ。「わたしの言うことが絶対正しいんだから！」なんてコだと、いっしょにいてつかれちゃうよね。ガマンしてつき合いつづけると、心も体もぐったりしちゃいそう。少しキョリをおいてみてもいいかもしれないね。

3 はり合ってくるコ

なんでもかんでもはり合ってこられると、正直げんなりしちゃうよね。そんなときは、そのコのがんばりを「すごいね！」ってほめてみて！あなたにみとめられたことがうれしくて、何かとはり合ってくることはなくなるはず。お互いを高め合える心友になれるかもしれないよ♪

4 ワガママなコ

ワガママな友だちにつき合っていると、いつの間にかあなた自身がソンをしてしまうことも……。おひとよしになって、自分勝手な行動に振りまわされないように、イヤなことは「やらないよ！」って、はっきり伝えることが大切だよ。自分のこともちゃんと守らないと！

おまじない
発表会などで舞台にあがるときに、髪や服に青いリボンを結んでおこう。緊張しないでいられそう。

テスト13♪ 友だちに何が起こったと思う？

「2人で帰宅中、友だちが悲鳴をあげた！」……って設定のこのマンガ。オチはなんだと思う？　特定の友だちを思い浮かべてね！

1

2 穴に落ちてしまっていた

3

4 「なんちゃってー」と友だちが笑っていた

いい日★宿題は早めにすませると◎。時間を大切に使おう♪

診断は次のページをCheck!

1 ナイショで好きな人がいる

本当は好きな人がいるのに、友だちにかくしているんじゃない？　もしかして、友だちと同じ人を好きになっちゃった……!?　ナイショにしていることがバレたら、もっと気まずくなっちゃうかも。勇気を出して打ち明けてみよう★

2 約束をやぶっちゃった！

友だちとの約束をやぶっちゃったこと、ナイショにしていないかな？　たぶん友だちは、かくしていたことを知ったらもっと悲しむと思うよ。これ以上ナイショにしないで、早めにあやまっちゃったほうがよさそう！

3 ほかに仲のいい友だちがいる

ほかに仲のいいコがいるというのは、なんとなく言いづらいかもしれないね。でも、かくさなくてもいいんだよ。新しい友だちができるのは、そのコもうれしいはず！　みんなで遊ぶ機会をつくって、友情のキューピッド役になっちゃおう♪

4 本当はそのコのことが苦手

じつは苦手だと思っているコと、無理して仲よくしているんじゃない？　そういう気持ちって、意外と相手にも伝わっちゃうものだよ。無理をしてつき合うくらいなら、思いきってキョリをおいてみてもいいかも。

テスト14♪

片思い中のカレとカラオケに…♥

片思いをしているカレとカラオケにやってきたよ。
まずはどんな曲を歌おう?

1 恋愛ソング

2 ちょっとマイナーだけど自分が好きな曲

3 盛り上がれるアイドルソング

4 人気アニメの主題歌

診断は次のページをCheck!

ラッキー★勉強運がアップ! どんな問題もヨユーでとけそう♪

診断

このテストでわかるのは…

あなたの聞きじょうず度

1 聞きじょうず度 50%

あなたは、興味がある話とそうでもない話とで態度が大きく変わるタイプ。自分が知らない話題でも、積極的に質問すれば、聞きじょうずになれるよ♪

2 聞きじょうず度 30%

おしゃべり好きのあなたは、だれかの話を聞くのは苦手なのかも。興味がない話題だと、ついつまらなそうにしてしまうことがあるから注意してね！

3 聞きじょうず度 70%

どんな話も真剣に聞こうとする、とてもマジメなあなた。だけどあまりかまえすぎると、話すほうも緊張しちゃうから、ほどほどにしたほうがいいかも！

4 聞きじょうず度 100%

あなたの聞きじょうず度はパーフェクト！　どんな話題でも楽しそうに聞いてくれるあなたと話すのを、みんなが楽しみにしているよ♪

おまじない
塩をひとつまみ持って外に出て、「ドジよ、とんでいけ」と言いながらまいてみよう。うっかりミスをへらせそう。

テスト15 街でインタビューしてきたのは？

ある日、テレビの街頭インタビューをされちゃった！
あなたに声をかけてきたのはどんな人だったかな？

3 バラエティーアイドル

4 同い年くらいの子役

ほどほど★ 思いもよらないハプニングが！ しんちょうに行動して。

診断は次のページをCheck！

診断

このテストでわかるのは…

あなたのいじめっコ度

いつもはおだやかだけど、ふとしたときにいじめっコのスイッチが入って、いじわるな発言をしちゃうことがありそう……。普段とのギャップで、言われたほうはすごく傷ついちゃうよ。不用意な発言に注意してね！

2 いじめっコ度 90%

かなりいじめっコ気質のあなた。ほかの人の不幸を、こっそりおもしろがっちゃうこと、あるんじゃない？　本音が相手に伝わらないよう、くれぐれも気をつけて！　いじわるしたことは、かならず自分に返ってくるよ。

おまじない

友だちとこれからもずっとなかよしでいたい…。そんなときは、赤い糸で「∞」をつくってペンケースに入れておいてね★

③ いじめっコ度 40%

正義感の強いあなたは、いじめっコ度は低め。直してほしいことは直接本人に伝えられる勇気があるんだね！　ただし、正直にズバズバ言いすぎて、相手を傷つけてしまうこともありそう。「やさしく伝える」ことを意識してみよう★

④ いじめっコ度 10%

あなたは、いじめっコとは正反対！　むしろ、いじめられているコを放っておけない、ヒーローのような性格の持ち主だよ。いじめを見かけたら思わず止めに入れるコなんじゃないかな？　やさしいあなたに、救われているコがたくさんいるはずだよ♪

診断は次のページをCheck!

テスト16♪ 楽(たの)しいパーティーに出(で)かけよう！

はなやかなパーティー会場(かいじょう)にやってきたあなた。イラストを見(み)ながら質問(しつもん)に答(こた)えて、点数(てんすう)の合計(ごうけい)を計算(けいさん)してみてね。

おまじない まくらに指でカレの名前をかき、さいごに「♡」をかこう。そのまますぐに眠ると、夢にカレが出てくるかも♥

Q1 最初にだれと話す？

- A 近くにいた人（3点）
- B 話しかけてきた人（1点）
- C 興味がある人（2点）

Q2 料理を食べるとき、あなたは？

- A 自分のぶんだけとる（3点）
- B 友だちのぶんも取る（1点）
- C だれかに取ってもらう（2点）

Q3 会場では何をして遊ぶ？

- A ダンス（3点）
- B うらない（2点）
- C ゲーム（1点）

Q4 おみやげは何がいい？

- A 写真立て（3点）
- B キャンディ（2点）
- C 図書カード（1点）

合計＝   点

診断は次のページをCheck!

いい日★いつもとちがうコーデに挑戦してみるといいかも♥

このテストでわかるのは…

友だちとケンカしちゃう原因

合計が10点以上

意見がぶつかる

自分の意見をしっかりもっているあなたは、反対意見の人と対立してしまうこともしばしば。お互い「ここはゆずれない！」と、ケンカになってしまうことが多そう。ときには少し見方を変えて、相手の意見を聞くことも大切だよ！

合計が6～9点

誤解したり、されたり

普段から言葉が少ないあなたは、説明不足で誤解させちゃったり、モヤモヤしたことを聞けずに気まずくなったりすることがあるみたい。ちょっとした会話で解決できる場合がほとんど。積極的にコミュニケーションをとろう！

合計が5点以下

かんちがいかも!?

ちょっぴり思いこみがはげしいあなた。友だちには悪気がないのに、冷たくされたとかんちがいして、ケンカになってしまうことが……。なんでもネガティブにとらえず、前向きに考えると、かんちがいのケンカを防げそう♪

おまじない
元気のない友だちには、クローバーをプレゼントしよう！　フシギと元気が出てくるんだって♪

テスト17 たいやき、どこから食べる？

目の前のお皿においしそうなたいやきがあるよ！
さて、あなたならこのたいやき、どこから食べる？

1 頭から
2 しっぽから
3 おなかから
4 それ以外

診断は次のページをCheck!

まあまあ★気になるカレとライバルが急接近!? 積極的に話しかけよう。

このテストでわかるのは…

友だちとのおすすめ仲直り方法

1 友だちに間に入ってもらおう

なかなかすなおになれないタイプのあなたは、別の友だちに間に入ってもらうといいかも。ほかのコがいることで、お互い冷静になって、すなおな気持ちで話ができそうだよ。まずは、共通の友だちにたのんで、仲直りしたいコをよび出してもらおう！

2 すなおにあやまろう

ストレートな性格のあなたは、すなおにあやまっちゃうのがベストな方法！　結局これが、仲直りしたい気持ちがいちばん相手に伝わるって、あなたもわかっているんだよね♪　ケンカを引きずらないから、仲直りをしたあとは、2人のキズナが前より深まりそう！

3 お手紙を書いてみよう

あなたにおすすめなのは、お手紙であやまる方法。面と向かって話す勇気がなくても、手紙だったらすなおな気持ちを伝えられるよね？　一生けん命手紙をかけば、あなたの正直な気持ちが伝わるはず♪　便せんは、気持ちが落ちつくブルーがイチオシだよ。

4 気にしないで話しかけよう

ケンカしたあとってなんだか気まずいけど、じつは相手も、あなたと前みたいに仲よくしたいと思っていそうだよ！　何ごともなかったように話しかけたら、意外と今までどおりのなかよしな2人に戻れそうな予感。まずは、「おはよう！」ってあいさつしてみて♪

おまじない
花びらを一枚、バスタブに浮かべてゆっくりお風呂につかってみて。今よりちょっと、大人っぽくなれるんだって♪

ラッキー★ステキなアイテムに出合えそう♥ 買いものに出かけよう！

診断

このテストでわかるのは…

あなたのクラスでのポジション

1 いやし系な相談役

どんな話でも親身になって聞いてくれるあなたは、クラスのみんなの相談役。あなたに相談することで、なんだか気持ちがラクになるという人が多いみたい！　これからもあなたらしい言葉でみんなにアドバイスしてあげてね★

2 みんなを引っぱるリーダー

クラスのみんなからとってもたよりにされているあなた。みんなをじょうずに引っぱれる、まさにクラスのリーダー的なポジションをまかされているよ！　クラスメートの意見を平等に聞いて、うまくみんなをまとめよう♪

3 グループの盛り上げ役

明るくユニークなあなたは、グループの盛り上げ役！　とくに、学校行事やイベントのときに注目をあびるタイプだよ。みんなを盛り上げるのは大切だけど、期待にこたえようとして、ハメを外しすぎないよう注意してね。

4 ゴーイングマイウェイな独立系

あなたはどこのグループにも入らない、独立系のポジション。大人っぽくてミステリアスなフンイキのあなたに、あこがれている人も多いみたい！　わが道を行くのはいいことだけど、クラスの輪をみださないように気をつけてね。

おまじない
黄色いリボンやハンカチをクルクル巻いて、ポケットに入れておこう！　読者プレゼントに当たりやすくなるんだって♪

テスト19♪ 誕生日にお手紙をもらったよ

誕生日に、なかよしの友だちから手紙をもらったよ！
どんな紙に書かれていた？　特定のコで想像してね♪

1 ふうとうと便せん

2 メッセージカード

3 メモ帳

4 ノートの切れはし

診断は次のページをCheck!

ラッキー★
勝負運がアップ！　試合やテストには強気でいどもう♪

このテストでわかるのは…

テスト19 診断

その友だちとの心のキョリ感

1 仲よくなりたいと思われてるよ

友だちのほうは、あなたともっと仲よくなりたいと思っているみたい！　共通のしゅみや、好きな芸能人の話題で、2人のキョリをもっとちぢめよう！

2 ちょっぴりキョリがあるかも…

まだまだ2人にはキョリがあるみたい。もっと仲よくなるには、お互いの家族のことや、小さいころの話をしてみるのがよさそう♪

3 なんでも話せる友だち

あなたとそのコは、なんでも話せる関係。親しいからこそ相手を思いやる気持ちを大切にすれば、これからもずっといい関係でいられるはず♪

4 いちばんの心友！

あなたたちは心のキョリがぴったりくっついた心友どうし。2人のキズナはとっても強く、そうかんたんにはこわれないから安心してね♪

おまじない
水色のおり紙に仲直りしたいコの名前を書いてクルクル巻き、赤いリボンを結ぼう。持ち歩くと、友だちと仲直りできそう★

テスト20 10年後にタイムスリップしたよ！

とつぜん目の前が光って10年後の世界にタイムスリップ！
未来で出会った自分はどうなっていたと思う？

1 人気アイドル

2 お金持ちに！

3 世界を旅していた

4 スポーツ選手

診断は次のページをCheck!

ラッキー★
席がえで好きなカレのとなりになれそうだよ★

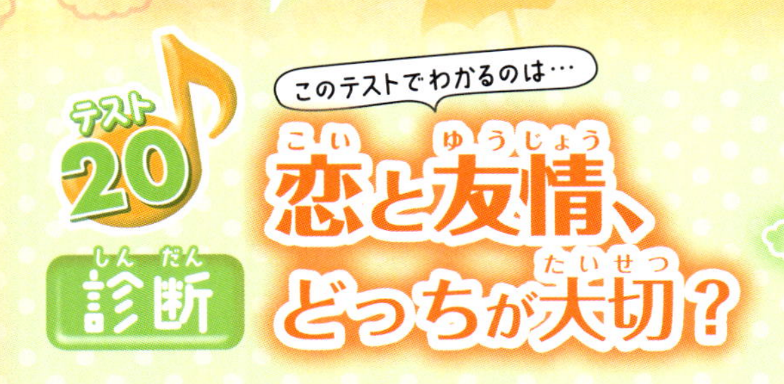

恋と友情、どっちが大切？

1 恋がダンゼン大切です♥

友だちと恋人だったら、迷わず恋人を優先してしまうみたい。友だちからは、ちょっぴり冷たいと思われちゃっているかも……!?　カレとの関係を大切にするのもいいけど、友だちは一生モノ！　友だちが困っているときは、ぜひ力になってあげてね♪

2 恋も友情もほどほどに…

あなたは、恋も友情もどちらもバランスよく大事にできる器用な人みたい。ステキなカレがいるのに友だちも多くて、みんなのあこがれそのもの。だけど本当は、そのどちらよりも大切な夢やしゅみがあるのかも……!?

3 もちろん友情のほうが大事！

あなたは恋よりも友情を大切にするタイプ。カレとの約束があっても、友だちが困っていたら、デートをドタキャンしちゃう……なんてことも！　カレの方はそんなあなたをちょっぴり不満に思っていそうだから、きちんと説明してあやまろう。

4 ひとつのことしか見えない！

恋愛モードのときはカレに夢中！　友情モードのときはつねに友だちのことで頭がいっぱい！　あなたはひとつのことしか見えない一直線なタイプみたい。恋愛モードと友情モードの波がありすぎると、まわりを振りまわして困らせちゃうから、注意してね！

おまじない　金色のおり紙でつるを折っておサイフに入れておこう。金運がアップして、臨時収入が期待できそう…♪

ハッピーレッスン 4

人相うらない

顔のりんかくやパーツの形から、性格がわかっちゃう……!?
鏡を見ながら、自分に近いものを選んで参考にしてみてね★

りんかくでチェックしよう!

まる顔

明るくておおらかな性格の持ち主。友だちを大切にするあなたは、みんなからしたわれているよ♪ 恋愛面では、何があっても愛をつらぬいちゃうような情熱的なところもありそう♡

ひし形

元気いっぱいで、負けずぎらいなあなた。どんなことでも一生けん命になれる、がんばり屋さんだよ! だけどじつは、ドラマみたいな恋にあこがれているかわいい一面もあるみたい!

しもぶくれ

すなおで甘えんぼうなあなたは、みんなのいやし系。ちょっぴりまわりにたよりすぎることもあるけど、「しょうがないな～」って思わせちゃうところがあなたの長所のひとつなんだよね♪

たまご形

社交的で、だれとでもすぐに仲よくなれちゃうあなた。女のコはもちろん、男のコの友だちも多そうだよ! 仲のいい男友だちが、いつの間にか恋人になっていた、なんてこともあるかも。

三角形

あなたはマジメでしっかり者。困っているコを放っておけない、やさしい性格の持ち主だよ！　でもその一方で、かわいいものが大好きな、女のコらしい一面もあるギャップがミリョク♡

逆三角形

クールで頭の回転がはやいあなたは、ひらめきの天才！　トラブルがあっても、さえたアイデアでズバリ解決★　そんなあなただから、男女ともにあこがれているコが多そうだよ♪

四角形

あなたはとっても努力家さん。勉強も運動も、夢に向かってコツコツ努力できる性格だよ！　どんなことでも最後までやりとげられるあなたの可能性は、まさに無限大って感じだね♪

ホームベース

あなたはちょっぴりプライドが高いみたい。だけどそのぶん自分にきびしくて、努力をおしまないよ。目標が高いほどがんばれちゃう性格だから、将来は大物になれちゃう予感……!?

おまじない
朝出かける前に「あとみよそわか」と３回となえよう。忘れものを思い出すことができるかも♪

目でチェックしよう！

大きな目

明るく社交的なクラスのアイドルタイプ。自分をアピールするのがじょうずなあなたは、男のコからもモテモテかも!?

小さめの目

ちょっぴり口ベタだけど、自分のことよりも友だちを優先できるような、とてもやさしい心をもっているのがミリョクだよ。

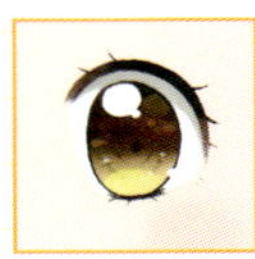

二重まぶた

とっても人気者のあなた。友だちからのさそいは断れない性格だから、気づいたら予定がいっぱい、なんてことも!?

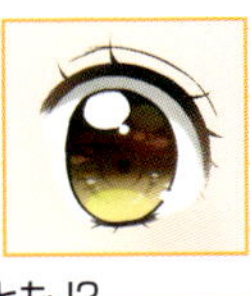

一重まぶた

やさしく気配りじょうずなあなた。生徒会の副会長など、だれかをサポートするようなポジションがぴったりだよ♪

たれ目

あなたは、相手の気持ちをきちんと考えて行動できるコ。信頼があつく、困ったときはみんなが力になってくれるよ！

つり目

正義感が強く、自分の意見をきちんと言葉にできるあなたは、クラスのリーダーや生徒会長としてもカツヤクできそう♪

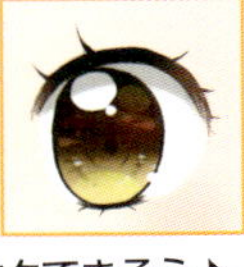

涙袋がぷっくり

やさしくおっとりした性格のあなた。友だちをとても大事にするから、女のコからも男のコからも大人気だよ♡

鼻でチェックしよう！

高い鼻

流行にびんかんでおしゃれが大好きなあなた。まわりから「センスがいいね」って、ウワサになっているかも。

低めの鼻

細かいことにもよく気がつき、困っているコをそっとフォローできるあなたに、みんな感謝していそうだよ♪

わし鼻

あなたは度胸とやる気が満ちているコ！　みんなの前に立つポジションで、才能を発揮できそうだよ♪

だんご鼻

行動力バツグンで積極的。どんなことにも一生けん命なあなたに、みんなはついていきたくなるみたい！

鼻の穴が大きい

めんどう見がよくておひとよしのあなたは、みんなの相談役。あなたの笑顔に、はげまされるコも多いみたい♡

鼻の穴が小さい

ちょっぴりツンデレだけど、本当はだれよりもやさしい性格。まずは自分の気持ちをすなおに言葉にしてみよう！

おまじない
左右ちがうくつ下をはいて、大きくジャンプしてみよう！　みんなの視線をひとりじめできちゃうかも♪

くちびるでチェックしよう！

くちびるがうすい

クールで落ちついているあなた。なんでもそつなくこなせる優等生タイプだけど、ちょっぴりあきっぽい一面も!?

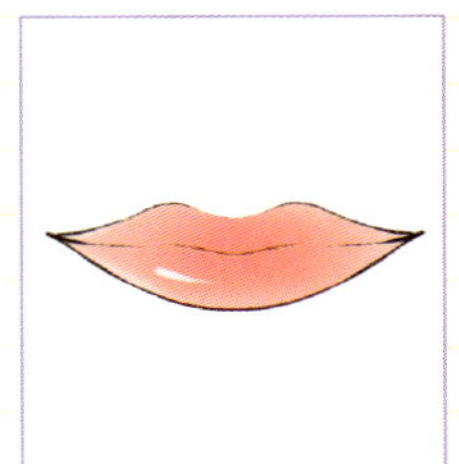

くちびるがあつい

何かに夢中になると、まわりが見えなくなる情熱家♪　近い将来、とってもはげしい恋愛をする予感……♡

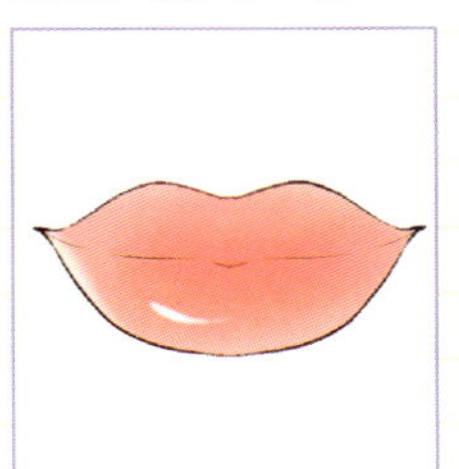

上くちびるがあつい

思いやりのあるやさしい性格。まわりに尽くしすぎるとつかれちゃうから、たまには自分も思いやってね♪

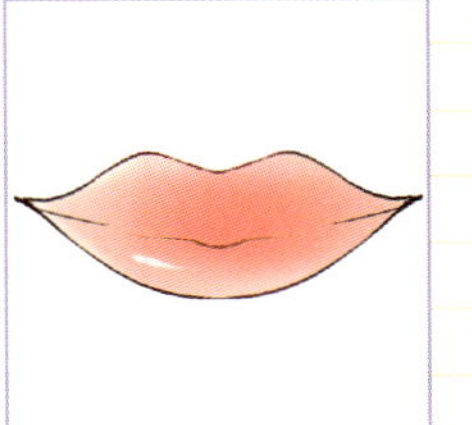

下くちびるがあつい

笑顔がかわいいあなたは、クラスの人気者♪　モテモテすぎて困っちゃう……なんてこともあるんじゃない!?

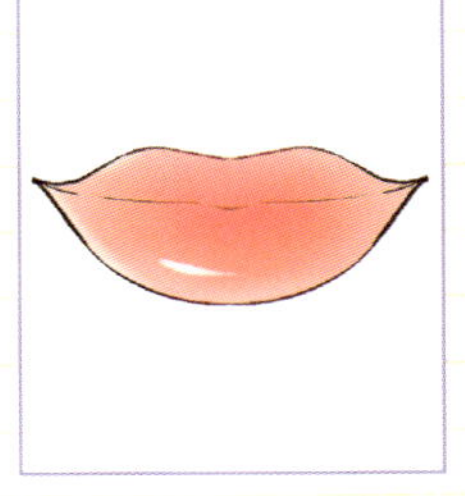

口が大きい

おおらかでしっかり者のあなた。たよりがいがあるから、みんなもついつい甘えたくなっちゃうみたいだよ♡

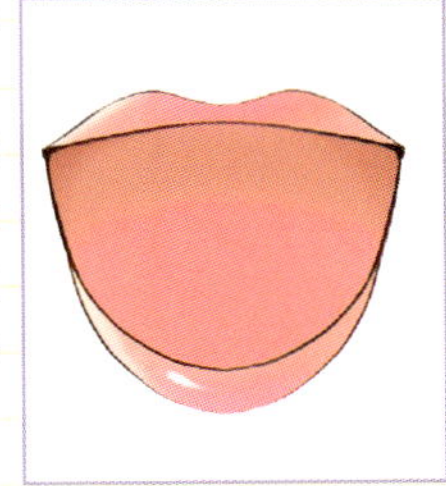

口が小さい

あなたは、気配りじょうずで空気を読むのが得意なコ。友だちも多く、みんなからしたわれるタイプだよ♪

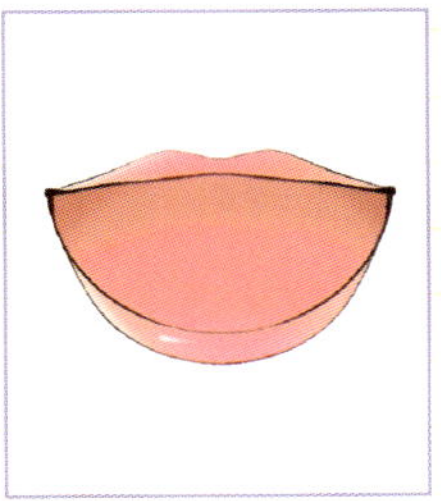

いい日★ 積極的に意見を言ってみよう。きっと賛成してもらえるよ♪

恋のゆくえがズバリわかっちゃう!

その3

恋愛心理テスト 15

恋する女のコは必見! あなたの恋愛タイプや、相性バツグンの男のコ、結婚のことまでまるっとわかる、恋愛心理テストを紹介するよ♡

テスト1

もしもシンデレラになったら？

もしもあなたが、童話『シンデレラ』の主人公だったら?
あなたの考えにいちばん近いものを選んでね。質問は7コだよ！

Q1 お父さんが再婚して、家にまま母とその娘がやってきたよ。
冷たく接してくるまま母に、あなたならどう対応する?

Ⓐ まま母に反抗する Ⓑ お父さんに言いつける Ⓒ ガマンしちゃう

Q2 まま母とお姉さんたちは、あなたを置いて舞踏会に行くみたい。
あなただったら、どのドレスを着たかった?

Ⓐ ミニ丈のドレス Ⓑ スレンダーなドレス Ⓒ 背中があいたドレス

Q3 泣いていると、まほうつかいのおばあさんがやってきたよ！
馬車にするためのかぼちゃ、どれを選ぶ?

Ⓐ 小さなかぼちゃ Ⓑ 形がキレイなかぼちゃ Ⓒ 大きなかぼちゃ

Q4 舞踏会に出かけたあなたは、王子さまと楽しくすごすことに。
12時までに戻らないといけないけど、どうしようか?

Ⓐ 気にせず楽しんじゃえ! Ⓑ ギリギリまで楽しもう♪ Ⓒ 早めに帰らないと…

Q5 あわてて帰ったら、ガラスのくつを落としちゃった！ どうしよう?

Ⓐ きっぱりあきらめる Ⓑ 泣く泣くあきらめる Ⓒ 取りに戻る

Q6 王子さまが、ガラスのくつを持ってあなたの家にやってきたよ。
くつをはくことになったけど、そのときの気持ちは?

Ⓐ ワクワクする Ⓑ 自信があふれている Ⓒ ドキドキしちゃう

Q7 王子さまと結婚することになったあなた。
さて、いじわるなまま母たちをどうしようか?

Ⓐ 仕返ししちゃえ！ Ⓑ 二度と会わない Ⓒ やさしくする

診断は次のページをCheck!

いい日★ 恋愛運が上昇♪ 恋のアンテナをはっておこう！

このテストでわかるのは…

テスト1 診断 あなたにぴったりなカレのタイプ

Ⓐ～Ⓒの中で、答えの数がいちばん多いのはどれ？

Ⓐがいちばん多いコは

優等生タイプのマジメなカレ

ちょっと大胆でわくにおさまらない性格のあなたには、やりすぎないようにセーブしてくれる、マジメで優等生なカレがぴったり！　いっけん正反対だけど、あなたがカツヤクできるよう、かげでフォローしてくれるいいパートナーになるよ♪

Ⓑがいちばん多いコは

ワイワイ元気でカッコいいカレ

あなたにぴったりなのは、元気で、いっしょにいて楽しい男のコ！　好奇心がおうせいなあなたの気持ちを満たしてくれる存在が合うみたい♪　さらに、あなたは恋人にカッコよさを求めるタイプ！　モテモテの男のコにキュンとしそう♡

おまじない
星のキレイな夜、いちばん輝く星を見つけて、３分間見つめてみて。キラキラかがやくひとみになれるかも。

Ⓒがいちばん多いコは

スポーツが得意で強引なカレ

ちょっぴり消極的なところがあって、男のコにリードしてほしいって考えているあなたには、体育会系で、ちょっと強引なカレがぴったり♡　「お前かわいいな」なんて上から目線で言われたら、一生ついていきたくなっちゃうんじゃない!?

ⒶⒷⒸのどれか２つが同数のコは

アーティスティックで個性的なカレ

ちょっぴり個性的なあなたには、あなたに負けないくらい個性が強い、アーティスティックなカレがぴったり♡　とくに、しゅみや考え方が近いコにひかれるみたいだよ。お互いに刺激し合いながら成長できる、ステキな関係になりそう！

テスト2 部屋についたら何をしよう？

今日は楽しい林間学校♪　お泊まりをする部屋に到着して、ホッとひと息ついたところ。さて、これから何をしよう？

1 トイレに行こう

2 おみやげを見たいな

定規に８本の赤い糸を結んでひと晩置いておき、翌朝糸を１本に結び合わせよう。あこがれの恋を体験できるかも♥

ふつう★緊張することがありそう…。落ちついてトライして！

テスト2 診断

このテストでわかるのは…

カレと両思いになる告白のしかた

1 友だちにキューピッドをたのもう

カレとなかよしの男友だちに、キューピッドをたのむのがおすすめだよ♪　男友だちに、カレがあなたのことをどう思っているか聞いてもらおう。脈がありそうなら、今度は自分の言葉でカレに気持ちを伝えてね！

2 気持ちをこめた手紙を書こう

直接気持ちを伝えると、あせって変なことを言っちゃうかも……。あなたの場合、「好き」って気持ちを手紙に書いてわたすと成功率がアップしそう！　カレの誕生日やクリスマスに、プレゼントといっしょにわたしてもいいかも♪

3 告白されるのを待てばOK

あなたがカレとキョリをちぢめられているなら、待っていればカレから告白してくれそうだよ♪　もし、まだ少しキョリが遠いと感じているなら、いっしょにいる時間をふやして、仲よくなることからはじめるといいかも。

4 ストレートに伝えよう！

あなたの場合、直球勝負がいちばん！　手紙やメール、電話で伝えようとすると、顔が見えないぶん、あなたの本気度が伝わりにくいみたい。すなおに「好きです」って言えれば、きっと受け止めてもらえるよ♪

おまじない　くじけそうになったとき、頭のてっぺんを手のひらでクルクルと３回なでてみよう。がんばる気持ちがわいてきそう！

テスト3 どのヨーヨーをすくおう？

夏祭りにやってきたあなたは、ヨーヨーつりに挑戦することに！
あなたなら、どの色のヨーヨーをねらう？

ふつう★ ほしいものがあっても、今はガマンしたほうが◎。

診断は次のページをCheck!

テスト3

このテストでわかるのは…

診断 あなたの恋の肉食度

1 恋の肉食度10%

青のヨーヨーを選んだあなたは、気になる男のコがいても、相手が自分を好きになってくれるまで待ちつづけるタイプみたい。自分からアプローチをかけるなんてはずかしい、なんて思っているのかも！

2 恋の肉食度95%

ピンクのヨーヨーを選んだあなたの肉食度は、もはや虎レベル!?　気になる人ができたら、「好きーっ♡」って猛アピール！　すなおなところもミリョクだけど、相手がびっくりしちゃうから、たまには引くことも考えて。

3 恋の肉食度40%

あなたは、カレに自分を好きになってもらうためにコツコツ努力するタイプ！　「好き」ってアピールはしないけど、相手の視界に入ったり、共通の趣味をはじめて「気が合うかも」って思わせたりする、かしこいコみたい。

4 恋の肉食度65%

あなたは、タイミングを見て肉食になれるタイプ。カレが元気がなさそうなときに、「わたし○○くんのこと好きかも」なんて爆弾発言！　相手をドキドキさせちゃうみたい♡　恋愛のかけ引きがじょうずなんだね！

おまじない
晴れた日に、お気に入りのアクセを太陽にかざして。アクセをにぎりながらカレに連絡すると、告白の返事がもらえそう♥

テスト4

海の中に絵をかいてみよう

下の絵は、未完成の海のイラスト。好きな海の生きものをかきこんで、イラストを完成させてね♪

ブルー★ちょっぴり運気が下がり気味。ケガには注意してね！

このテストでわかるのは…

診断 あなたのしっと深さ

♥小さい魚をたくさんかいたコは

かなりしっと深いタイプみたい！ 一度相手をうたがうと、あれもこれもって気になっちゃうよ。

♥イルカをかいたコは

ユーモアがあって、カレの浮気をじょうだんっぽく流しちゃうタイプ。傷ついているなら言わなきゃ！

♥クジラなど、大きな生きものをかいたコは

自分を冷静に見つめられるクールなタイプ！　恋をしてもアツくならないから、しっともしないみたい。

♥深海魚をかいたコは

一度裏切られると、ずーっと忘れられないタイプ。「あのときこうだったよね！」とねちねち言っちゃいそう。

♥人魚をかいたコは

傷つきやすいところがあって、しっとするよりも悲しくなっちゃうみたい。怒ってもいいんだよ！

♥イカやタコをかいたコは

ひとりじめしたい気持ちが強いタイプ。カレが男友だちと遊ぶのも、本当は気に入らないのかも……。

♥貝をかいたコは

しっとしていても、カレの前では理解があるふりをしちゃうタイプ。たまには、はき出したほうがいいかも。

♥カメをかいたコは

ちゃっかりしているコ。カレが浮気をしたら、そのぶん何かおごってもらおう、なんて考えているよ！

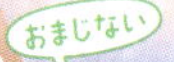

おまじない　授業中、先生に当てられそうなときは、えんぴつをルーレットのように３回転させてみよう。考えがひらめくかも！

テスト5 うさぎを見つけたアリスは？

アリスになったつもりで答えてね！　服を着たうさぎが穴の中に飛びこむのを見たとき、あなただったらどうする？

1 自分もすぐに飛びこむ

2 中を確認してから飛びこむ

3 穴の前で迷っちゃう

4 絶対飛びこまない！

診断は次のページをCheck!

まあまあ★手紙がラッキーアイテム。友だちに書いてみてね♪

あなたの恋愛のタイプ

1 たくさん恋をする超恋愛体質

あなたは、次から次へと好きなカレができる、超恋愛体質みたい！　どんどん恋をする反面、すぐにあきちゃうことも多いんじゃない？　ずーっと好きでいられるような男のコを見つければ、もっと幸せな気持ちになれそう♪

2 モテモテで恋は多いタイプ

あなたは、男のコが放っておかないモテモテな女のコ！　アプローチされることが多いから、恋の経験は豊富そう。ただ、同性の友だちに「軽い」って思われがちだから、友情も大事にしてね★

3 もしかして失恋体質!?

あなたは、ちょっぴり失恋体質かも。原因は、「この恋はダメになっちゃうかも」って、マイナスに考えがちなこと！　まずは恋より、男友だちをたくさんつくることからはじめてみて。失恋体質なんかふきとばしちゃおう！

4 男友だちが多い友情派

まわりに男のコは多いけど、特定のカレはできにくいタイプ。イマイチ女のコとして見てもらえないか、あなた自身、恋にあまり興味がないみたい。おしゃれやしぐさで女のコっぽさをアピれば、モテモテになれるかも！

おまじない　リップの先につまようじで「☆」をかき、マークの部分をさっとくちびるにぬろう。カレ好みの女のコに変身!?

テスト6 あこがれのアイドルが目の前に!

道を歩いていたら、大好きなアイドルが目の前にあらわれたよ!
さて、あなたならどうする?

1 あく手してもらう!

2 友だちに連絡する

3 じーっと見つめちゃう

4 じゃまにならないように立ち去る

診断は次のページをCheck!

ラッキー★ほかのクラスの男のコから告白されちゃうかも!?

テスト6 診断

このテストでわかるのは…

あなたのひとめぼれ度

1 ひとめぼれ度 65%

自分からあく手を求めたあなたは、恋に積極的なコ！　つねにアンテナをはっていて、「あの人ステキ♡」なんて目ざとく気づけるタイプだよ。でも、それは本気の恋ではないみたい。ちょっとした胸キュンを楽しめちゃう、トキメキじょうずって感じかな。

2 ひとめぼれ度 45%

友だちに連絡しちゃうコは、恋よりも友情が優先！　カッコいい人を見つけても、ときめく前に、それを話のネタにしちゃうお調子者さんだね。まわりをよく見ているから、ステキな人の発見率は高いけど、それが恋にはつながらないみたいだよ。

3 ひとめぼれ度 90%

ひとめぼれ度はかなり高め！　好みにぴったりの人を見かけると、うっとり見とれて動けなくなっちゃいそう。ひとめぼれがそのまま本気の恋になることも多いよ。内面を知ってガッカリ、なんてことにならないように、本気になる前にしっかりリサーチしようね★

4 ひとめぼれ度 15%

あなたはカッコいい人を見かけても、「でも、話し方がお子さま」とか、「ちょっと上から目線かも」なんてすぐ冷静になれるタイプ。恋愛も、友だちからはじめて、お互いをよく知ってから……という考えをもっているみたい。ひとめぼれ度はかなり低いよ。

おまじない
新しいノートを使うときは、表紙の右下にしずくのマークをかいておこう。勉強がはかどりそう♥

男のコをマンガのキャラに当てはめよう！

自分がスポーツマンガの主人公になったと考えてみて！
6人のキャラに、身近な男のコをそれぞれ当てはめてみよう。

ブルー★なんだかやる気が出ない一日。深呼吸してみよう！

診断は次のページをCheck!

テスト7 診断

このテストでわかるのは…

あなたがその男のコをどう思っているか

1 恋のキューピッド役！

同じチームの相ぼうは、なんでも話せる心友の象徴。あなたはカレのことを男のコとしては見ていないけど、自分の恋を応えんしてくれるキューピッドだと思っているよ。「手伝って」って気軽に言えちゃう存在みたい！

2 自分のこと、好きかも!?

あなたは、ライバルに選んだコのことを意識しているよ！　でも、相手に恋をしているわけではなく、むしろカレが自分のことを好きだと思っているみたい。ワザと振りまわして反応を楽しんじゃったりしてない!?

3 信頼できる人

コーチに選んだコは、あなたがとっても信頼をおいている人。大事なことを相談できちゃう相手みたい！　カレの言葉はなんでも信じちゃうくらいたよりにしているから、恋心に発展しちゃう可能性もありそうだよ★

おまじない　朝、コーデを決めたら鏡の前で右まわりにターンしてみよう！　ファッションセンスがアップするかも♪

4 本命のカレ

おさななじみは、心のキョリの近さをあらわしているの。つまりあなたは、おさななじみに選んだ相手と、もっとキョリをちぢめたい、いっしょにいたいって思っているよ。ズバリ、つき合いたい相手＝本命のカレってこと！

5 あこがれの人

他校のエースは、キョリが遠いけどあこがれちゃう存在。つまり、カレはあなたにとって、手が届かないけど応えんしちゃう、芸能人みたいなコだよ！　たまにすれちがって胸キュンできれば満足、って感じだね♪

6 クラスメートのひとり

観客は、たくさんの人の中のひとり。あなたにとってカレは、クラスメートのひとりで、特別気になる相手ではないみたい。でも、このテストで名前が出たってことは、これから気になる存在になる可能性もあり……!?

ブルー★今日はじゃんけんでも負けつづきかも…。

テスト 8 犯人はオマエだ！決め手になったのは？

あなたは小学生探偵！　家族で旅行中、事件に巻きこまれて……。
なんだかんだで犯人を見つけたあなた。決め手はなんだった？

おまじない　テスト中、緊張しちゃう人は手のひらに四角形をかいて飲むマネをしてみよう。テストで実力を発揮できそう！

まあまあ★部屋のおそうじがはかどりそうだよ♪

1 犯人にだけアリバイがない

2 犯人の私物が落ちていた

3 目撃証言があった

4 証拠はない。カンで！

診断は次のページをCheck!

テスト8 診断

このテストでわかるのは…

あなたは恋愛じょうず!? モテモテ度

1 本命にはバッチリ♥ モテ度70%

あなたは、本命のカレに対してモテテクを決めるタイプ！　カレの前でだけいつもとちがう顔を見せたり、思わせぶりな態度をとったりして、相手をドキッとさせちゃうみたい♡

2 意外な人から好意が!? モテ度40%

あなたは、意外な相手からモテている可能性が高いよ！　普段ターゲットから外している男のコに目を向けてみて。あなたにアツ〜い視線を送っているかも……♡

3 友だちとしては人気！ モテ度20%

仲がよくて、あなたに好意をもっている男のコは多いけど、恋ではなく友だちとして好きって思われているタイプ。人気&注目度は高いから、ふとしたきっかけでモテガールになれそう！

4 目が離せない！ モテ度95%

あなたは、天然で男のコの心をつかんじゃう、最強のモテガール♡　男のコは、あなたが気になってしかたがないみたい！　放っておけないミリョクがあるんだね♪

おまじない
すずを鳴らして、その音に耳をすませてみよう。願いをかなえるグッドアイデアがひらめきそう♪

テスト 9

絵をならべ替えてみよう

下の4枚の絵は、ある女のコの一日のできごとだよ。
好きな順番にならべ替えて、ストーリーをつくってみてね。

ふつう★今日は何ごとも、人任せにしないで自分でやったほうが◎。

A

B

C

D

1 ▶ 2 ▶ 3 ▶ 4

最後のシーンはどれかな?

診断は次のページをCheck!

診断

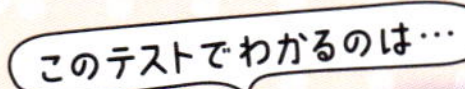

あなたは一途!? 浮気度

最後に選んだのは、Ⓐ～Ⓓのどのシーンだった?

Ⓐを選んだコは

もっとステキな人がいるかも!?

浮気度65%

あなたは、つき合っているカレがいても、心のどこかで「もっといい人はいないかな～」ってよくばっちゃうタイプ。だから浮気度はけっこう高いけど、思うだけで実際に浮気をする気はないみたい。

Ⓑを選んだコは

次のカレ、どうしよう?

浮気度95%

あなたの浮気度はかなり高め！ あきっぽくて、ひとりのカレでは満足できないのね。恋愛をゲームのように楽しんでいる節もありそう。ほどほどにしないと、いつか痛い目を見ちゃうかも!?

Ⓒを選んだコは

カレしか見えません!!

浮気度10%

あなたは、浮気なんて考えもしないタイプ！　カレができたら、その人しか見えなくなるみたい♡ 女のコが浮気なんて……って、ちょっぴり古風な考えをもっているんじゃないかな?　あなたとつき合う男のコは幸せだね♪

Ⓓを選んだコは

こ、断れなくて…!

浮気度40%

「浮気する気なんてないよ～」なはずだけど、押しに弱くて断れない一面があるみたい。相手からアプローチされて、断れなくてつい2人でデートしたら、カレにバレちゃった……なーんてことにならないように注意してね！

おまじない
消しゴムに苦手なコの名前を書いておこう。名前が消えるまで使いつづけると、いつの間にか仲よくなれちゃいそう♪

テスト10 ぬり絵に挑戦！どの羊からぬろう？

かわいい羊たちに色をぬって、もっとかわいくしよう！
さて、どの羊からぬりはじめる？　直感で答えてね！

1. 左はしの列からぬる
2. 中央2列のどれかからぬる
3. 右はしの列からぬる

診断は次のページをCheck!

ブルー★ 勉強運が下がり気味！ 図書館に行くといいかも。

診断

このテストでわかるのは…

恋のライバルがあらわれたら？

1 とりあえず様子見！

あなたは、まずはライバルの行動をじっくり観察して、相手の出方を見てから行動を起こすタイプだよ。しんちょうなのはいいけど、気がついたらライバルに先をこされていた、なんて可能性も……。ときには自分から行動を起こすことも大切だよ♪

2 絶対負けないっ

あなたは、ライバルが強力であればあるほど燃えちゃうタイプ！　ライバルとカレが話していたら、すかさず「何話してるの!?」なんて押しのけちゃいそう！　たとえカレとライバルが両思いになったとしてもあきらめず、うばいとろうとするみたい。

3 あきらめムードに…

あなたは、強力なライバルがあらわれると、最初からあきらめちゃうタイプみたい。自分に自信がないか、恋に必死になるのがはずかしいって思っているのかもしれないね。恋に一生けん命になるのはステキなこと！　本当に好きなら、がんばってみて♪

おまじない　まくらを振りながらお祈りをして、最後にポンとたたいてから眠ろう。次の日の朝、寝ぼうせずに起きられるはず！

テスト11 学級新聞をつくろう！インタビュー相手は…

授業で、班ごとに学級新聞をつくることになったよ！
インタビュー記事をのせることになったけど、相手はだれにする？

1 学校の先生

2 学校の卒業生

3 他校の生徒

4 近所の有名なケーキ屋さん

診断は次のページをCheck！

テスト11 診断

このテストでわかるのは…

恋のチャンスはどこにある？

1 思いもよらない場所かも！

あなたは、恋の相手を身近な男のコからさがすことが多いみたい。でも、恋のチャンスは意外な場所にありそう！　他校との合同行事や、おばあちゃんの家に遊びに行ったときに、運命の出会いがあるかも……♡

2 塾や、学校の図書館で！

恋のチャンスは、塾や学校の図書館など、知性を感じられる場所にありそうだよ★　向上心があって、将来のことをきちんと考えているあなたにぴったりの、マジメな男のコと意気投合しちゃうかも！

3 習いごとやスポーツチームで！

あなたは、しゅみやとくぎが同じ男のコとの相性がバツグン。恋のチャンスは、ズバリ習いごとにありそう！　また、サッカーや野球など、スポーツチームの試合の応えんに行くのもおすすめだよ★

4 じつはクラスメートが…!?

行動的で社交的なあなたは、ついつい外にばかり目を向けがち。でも、恋のお相手は、意外にも身近なところにいそう……！　「クラスの男子なんてお子さま〜」なんて思わないで、ぜひ意識してみて♪

おまじない
リボンの両はしにカレとあなたの名前を書き、真ん中で1回ねじってから両はしをボンドでとめよう。カレと両思いになれるかも♥

リボンをどこにつけよう？

ワンピースをデザインすることになったあなた。
仕上げにリボンをつけるとしたら、次のうちどこ?

診断は次のページをCheck!

いい日★ いつもとちがう場所で勉強をするとはかどりそう!

テスト12

このテストでわかるのは…

診断 あなたは振りまわしたがり!? 小悪魔度

1 天使のようなコ！ 小悪魔度5%

あなたは、カレのためにいつも「何ができるかな?」なんて考えている、天使のような心の持ち主だよ♡　自分の気持ちにふたをして尽くしちゃうこともあるみたい。利用されないように気をつけてね！

2 振りまわしたいけど… 小悪魔度40%

普段はカレのために、と思っているけど、本音は「カレを振りまわしてみたい」って思っているタイプ。それってじつは、カレにもっとワガママを聞いてほしい気持ちのあらわれかも。たまにはカレに甘えちゃおう♡

3 天使のフリして! 小悪魔度65%

あなたはけっこう小悪魔さん！　天然のフリをしてカレを振りまわして、「わたし、ツンデレなんだよ♡」なんてにっこり。そんなあなたに、カレはすっかりメロメロ★　でもそれ、同性の友だちにはバレてる可能性大!!

4 イジワルも愛情♥ 小悪魔度90%

ズバリ、あなたの小悪魔度はとんでもなく高め！　やさしくしたり、イジワルしたりして、カレの気持ちを振りまわすことを楽しんでいるみたい。カレに好かれている自覚があるのかもしれないけど、ほどほどにね。

おまじない

ケアポの中に、ハートモチーフの小物を入れておこう。ハートのパワーで、おしゃれのセンスがアップするんだって♪

テスト13 ラッピングの柄はどれにしよう？

好きなカレへの誕生日プレゼントを買いに来たあなた。
ラッピングは、４種類の柄から選べるみたい。どれがいいかな？

1 水玉柄

2 ストライプ柄

3 チェック柄

4 雪の結晶柄

診断は次のページをCheck!

ラッキー★ 友だちと本音で話してみて。キョリがグッと近づきそう★

診断

このテストでわかるのは…

あなたが失恋しちゃうワケ

1 カレの浮気

あなたは、カッコよくて、ちょっと軽〜いフンイキの男のコにひかれちゃうことが多いみたい。カレの浮気で泣く泣くお別れ……なんてことが多そうだよ。

2 あなたのワガママ

好きな人の前だと、ついあまのじゃくになっちゃうみたい。思ってもいないのに「キライ」って言っちゃったりして、相手が離れていってしまいそう……。

3 ほかとくらべちゃう

あなたは、友だちのカレと自分のカレを、ついくらべちゃうみたい。「友だちのカレはプレゼントくれたのに」なんてグチって、カレに怒られちゃいそうだよ。

4 あきっぽすぎる

あなたは、恋をゲーム感覚で楽しむところがあるみたい！　自分からカレにアプローチをかけたのに、カレが振り向いた瞬間にあきてポイ、なんてこともありそう……！

おまじない
流れ星や虹を見たら、心の中で願いごとをとなえよう。その願いはきっとかなうはずだよ★

テスト14 プロポーズのプレゼントは？

未来の自分を想像してね。ついにカレからのプロポーズの瞬間！
指輪といっしょにもらったらうれしいプレゼントは？

1. ぬいぐるみ
2. スイーツ
3. 手紙
4. 花束

いい日★コツコツ努力すれば、かならず結果にあらわれるよ！

診断は次のページをCheck!

テスト14 診断

このテストでわかるのは…

あなたの未来のカレはこんな人！

1 おぼっちゃま系

あなたの未来のカレは、笑顔がさわやかでやさしい、おぼっちゃま風の人！ バイオリンをサラッとひいちゃうような、自分にはない一面にキュンとしちゃいそう……♡

2 内面がステキな人

イケメンではないけれど、愛きょうがあっておもしろい人と相性バツグンだよ♪ じつは頭がいいとか、運動のセンスありとか、意外な才能をもっている人にひかれそう★

3 エリートな人

あなたは、頭がよくていつもきちんとしている、エリートな人とつき合いそうだよ♡ 仕事をバリバリこなすカレを応えんして、かげで支えていく恋がぴったりみたい♪

4 モテモテのイケメン

あなたの未来のカレは、だれが見てもカッコいい人！ 友だちに「いいな～」なんて言われて鼻高々かも♡ でも、モテモテのカレにやきもきしちゃう可能性大……!?

おまじない
あこがれの人を見つめながら、自分の胸に手を当ててみよう。その人のパワーを分けてもらうことができるかも！

テスト15 箱の中身はなんでしょう?

ばつゲームで、箱の中身を当てることになったよ。ドキドキ……。
さて、箱に入っているのは次のうちどれだと思う?

いい日★ 動物とふれあうとラッキーなことが! 飼育小屋へゴー★

診断は次のページをCheck!

このテストでわかるのは…

あなたはどんな結婚をする？

1 だんなさんに尽くす！

あなたは、バリバリ働くカレを支えたいっていう気持ちが強いみたい！　将来は、だんなさんに尽くすかわいいお嫁さんになりそうだよ♡

2 バリバリ働く自分をカレがサポート！

家でじっとしているのはつまらない！　あなたは、仕事を全力でがんばりたいタイプみたい。そんな自分を理解して、支えてくれるカレと幸せになりそうだよ♡

3 お互い自分の好きにすごす

ひとりの時間も大切にしたいと考えているあなたは、いつもベッタリといっしょにいるより、お互い自由に好きなことをしてすごすような結婚生活がぴったり！

4 まさかのセレブ妻!?

な、なんと！　あなたはだれもが知っているような大金持ちと結婚して、玉のこしにのれそうだよ♪　結婚するまでに、ドラマみたいな大恋愛をしちゃうかも♡

おまじない
学校で使うグッズは部屋の東北に置いておこう。さらに、指で三日月マークをかいておくと勉強運がアップ!?

ハッピーレッスン

5 手相うらない

手のひらにきざまれた線から、あなたの過去や未来が見える！
自分や友だち、カレの人生や恋愛、結婚もまるわかり！?

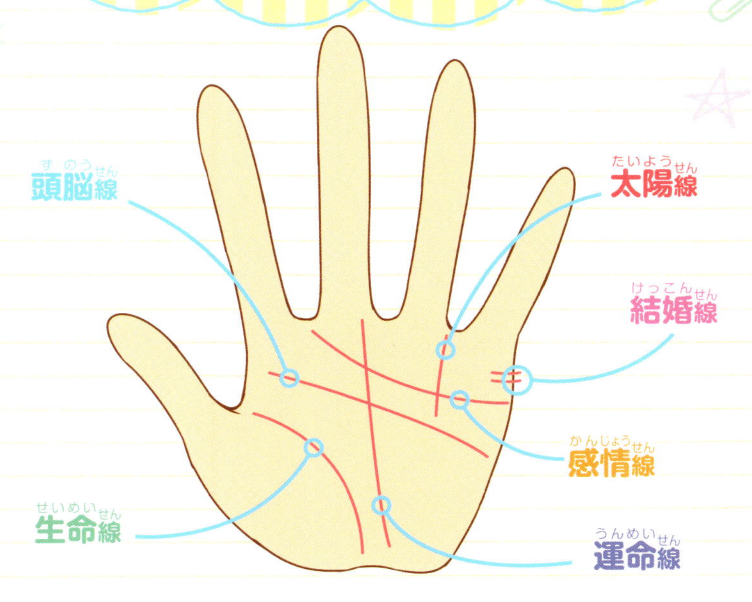

基本の線は6つ！ 左右両方の手を見てみよう

手をよく見ると、たくさんの線があって、どれを見ればいいか迷うよね。まずは、6つの基本線をさがしてみよう！　ちなみに、左手には生まれもった運命が、右手には現在の運があらわれているよ。左右どちらの手も見てね♪　手相は少しずつ変わるから、ときどき見直そう！

生命力や、人生で起こるできごとがわかる線。

どんな能力が備わっているかがわかる線。

性格や恋愛のことがわかる線。

どんな結婚をするかがわかる線。

運勢や環境の変化がきざまれる線。
ない人もいるよ。

人気度や、芸術的な才能が見える線。
ない人もいるよ。

ラッキー★ 思わぬ人と意気投合して、仲よくなれそうだよ♪

あなたの人生はどうなる？

生命線が2本ある

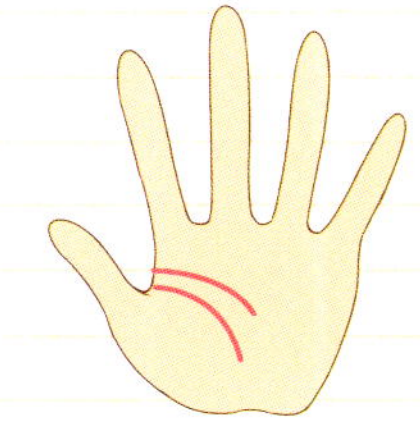

パワフル人生

生命線が2本あるということは、生命力も2倍★　スーパーマンみたいなパワフルさで、仕事も大成功！

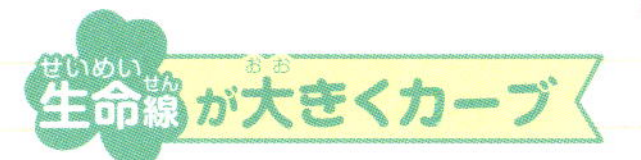

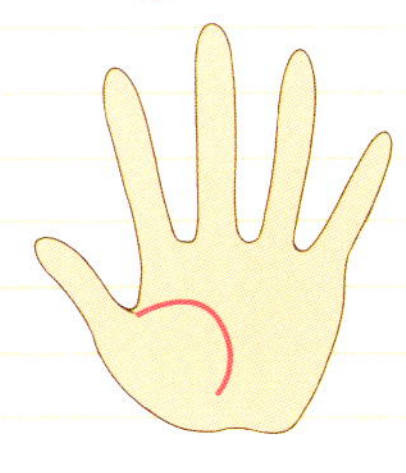

チャレンジャー人生

やる気に満ちあふれていて、好奇心がモリモリ★　海外で働いたり、自分で会社をつくったりしてカツヤクしそう！

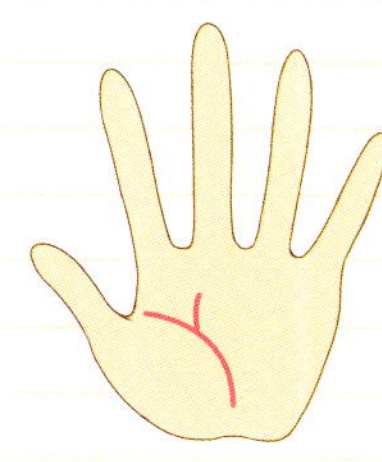

ラッキー幸運人生

生命線の真ん中より上にあるなら人生の前半に、下なら後半に、大きな幸運がおとずれて、人生が変わりそうだよ♪

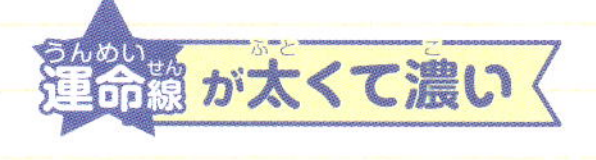

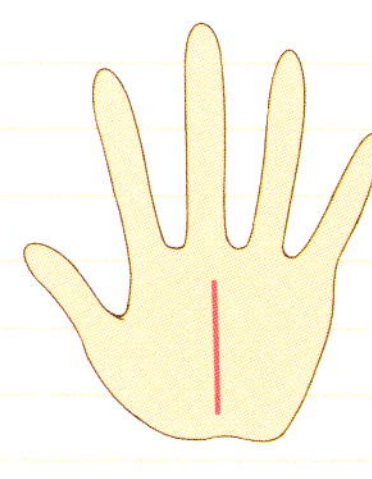

ど根性人生

太い運命性が手のひらの真ん中を通っているコは、困難を根性でのりきれるよ。どんな道でも切り開ける人生に★

運命線が小指側から出ている

親からもらう幸運人生

両親や親せきから幸運をもらうみたい！　親の会社をついだり、親戚の紹介でステキな人と結婚するかも。

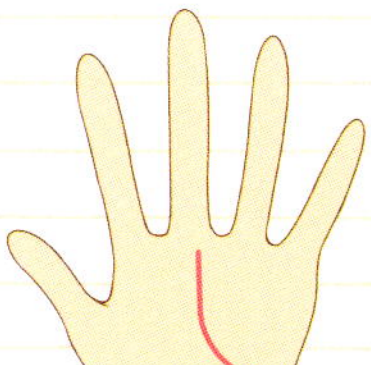

愛され人生

あなたは、だれからも愛される人気者！　まわりの人が助けてくれて、いつの間にか大成功しちゃうかも★

小石を矢印の形にならべて「わたしの思い、○○くんに届け」ととなえよう。そのあとすぐに告白すると、成功率アップ♪

感情線・運命線でチェック！

あなたはどんな恋愛をする？

感情線がくさり状orギザギザ

恋愛体質でホレっぽい

あなたはホレっぽくて、ステキな人と出会うとすぐ恋に落ちしてアプローチ！　恋多きコって言われそうだよ★

感情線がくっきり1本線

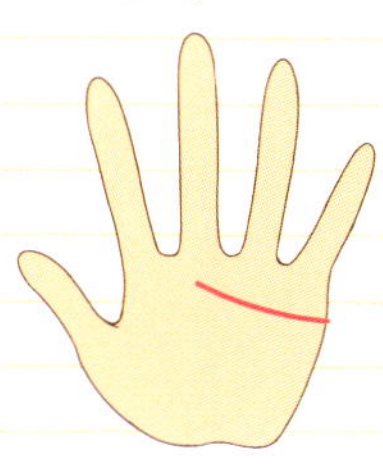

恋の悩みとは無縁！

あなたは、クールであっさりした性格みたい。失恋しても引きずらず、すぐ次の恋ができるタイプだよ。

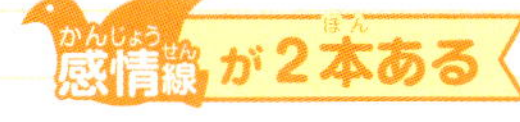

感情線が2本ある

2回以上の大恋愛♥

あなたは、とても感情が豊かなタイプ。人の2倍愛情をもっているから、大きな恋を2回以上しそうだよ。

感情線から下向きの短い線が出ている

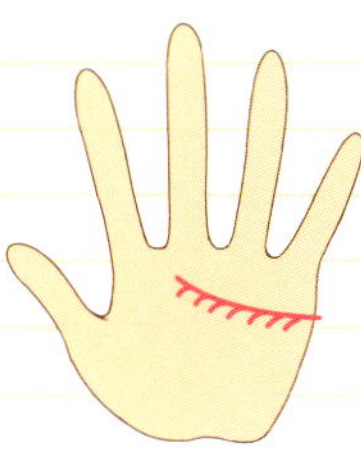

断れなくて恋人に

情にもろいところがあって、告白されると断れずにつき合っちゃうみたい。だから、たくさん恋愛をしそうだよ。

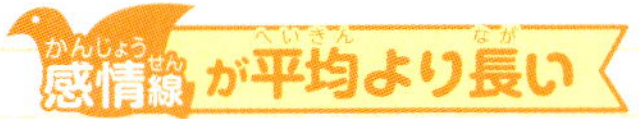

感情線が平均より長い

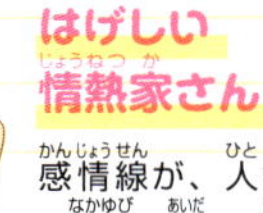

はげしい情熱家さん

感情線が、人さし指と中指の間より長いコは、情熱的なタイプ。恋をすると、相手しか見えなくなりそう！

感情線がブツブツ切れている

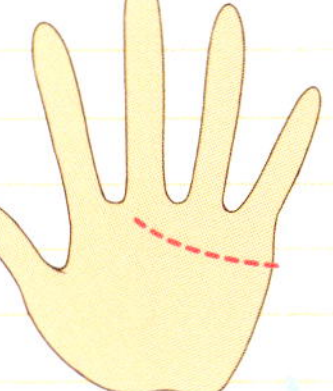

ひとりの人を愛せない!?

ちょっぴり浮気っぽいところがあるみたい。ひとりの人を愛しつづけることができず、ほかに目がいきがち。

ラッキー★カレと、好きなマンガの話をしてみよう！　盛り上がりそう♥

感情線から上向きの短い線が出ている

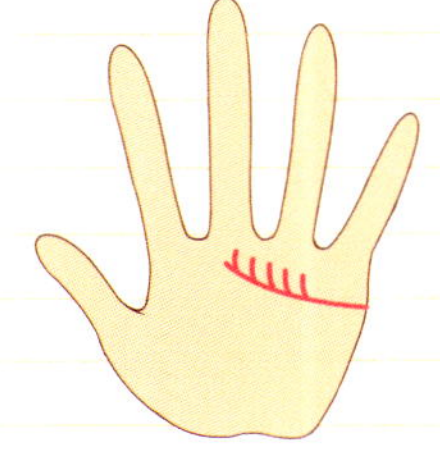

もうすぐ両思いに!?

今まではなかったこの線が出てきている場合、片思い中の男のコと両思いになれちゃう暗示かも……♡

感情線が急カーブしている

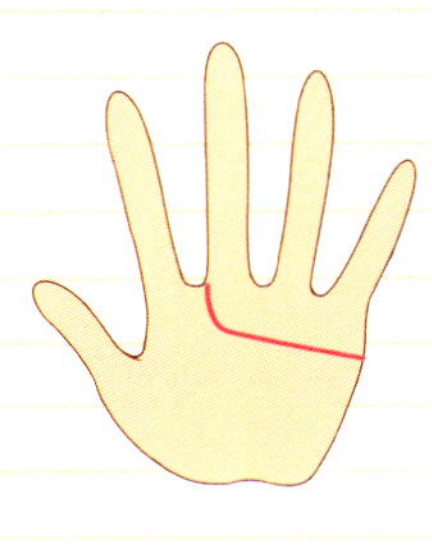

恋をすると一直線!

好きな人ができると、何よりも恋を優先しちゃうタイプ。勉強よりも、仕事よりも……友だちよりも!?

感情線が下向きにカーブ

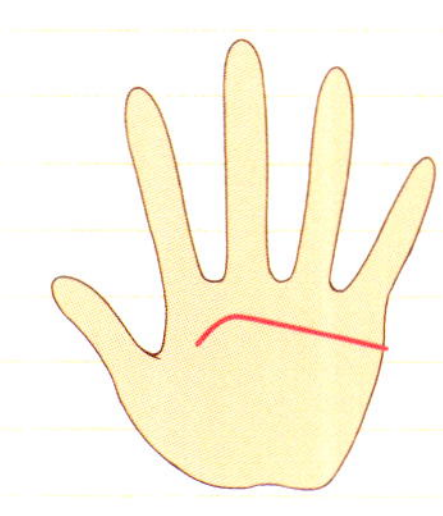

カレに一途に♥

相手がどうしたら喜んでくれるか、つねに考えているタイプ。カレも、そんなあなたにメロメロみたい!

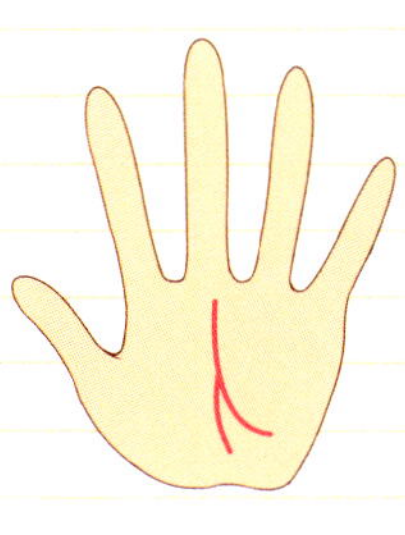

大恋愛で人生が変わる

あなたの運命は、恋によって大きく変わるみたい!カレについて海外に行ったり、仕事が変わったり、ね。

運命線に小指側から線が入る

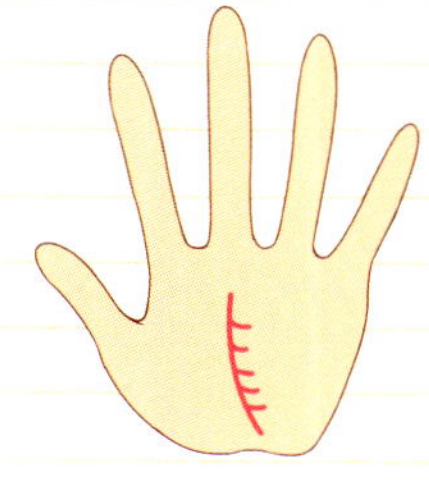

運命が変わる恋が!?

線が多いほど、たくさんの恋をすることをあらわすよ。でも、どの相手もパッとしなくて、思い出になっちゃう!?

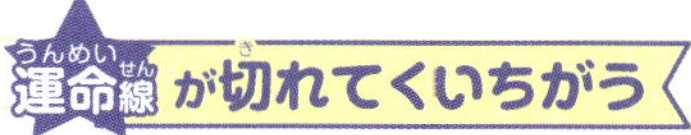

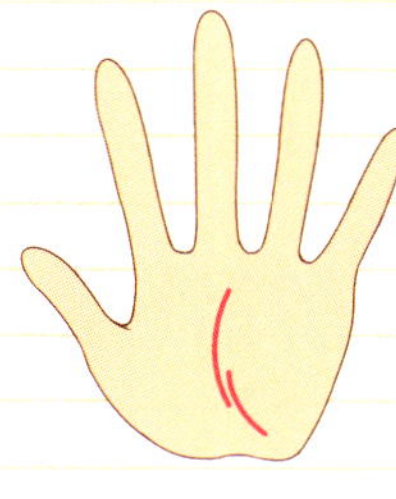

運命的な恋の予感♥

あなたの運命が大きく変わる、運命的な出会いがすぐそばに!? 恋のアンテナをビビッとはっておこう♪

おまじない 成績をアップさせたいときは、教科書の上にえんぴつを2本、Vの字に置いておくといいかも!

結婚線でチェック！

あなたはどんな結婚をする？

結婚線が真ん中より下

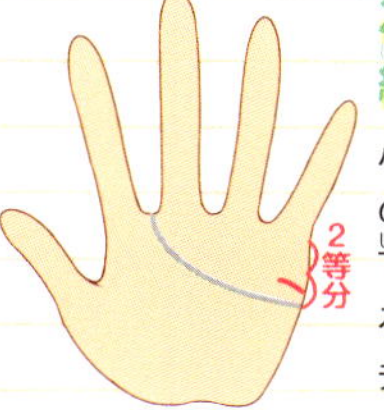

25歳以前に結婚！

小指のつけ根と感情線の間を2等分したとき、下のほうに結婚線があるコは、25歳より前にチャンスがありそう！

結婚線が真ん中より上

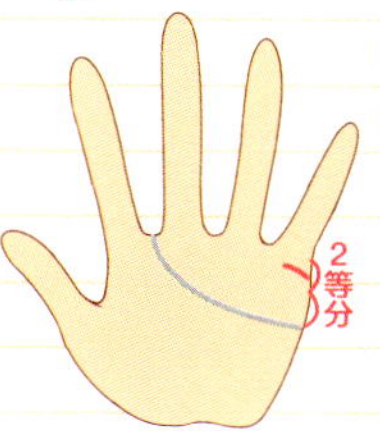

25歳以降に結婚！

小指のつけ根と感情線の間を2等分したとき、上のほうに結婚線があるコは、25歳以降まで待ったほうが◎。

結婚線が長く、はっきり

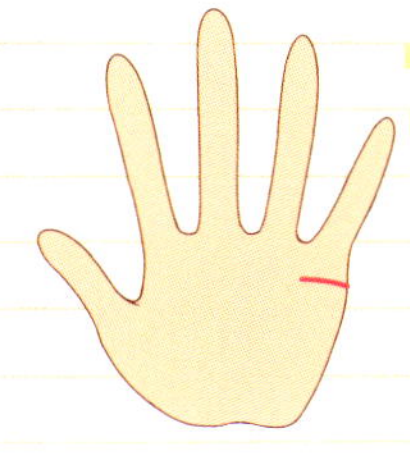

運命の相手と幸せに♥

はっきりした線が1本あるコは、たったひとりの運命の相手と結婚する暗示。長いほど幸せ度もアップするよ。

結婚線が2本ある

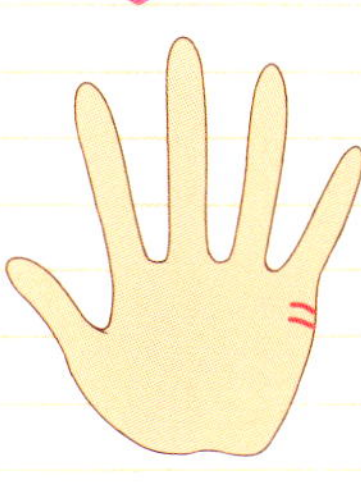

大きな恋愛が2回！

真剣に結婚を考える人が2人あらわれるかも。2回目に大恋愛した人と結婚するか、結婚自体を2回する可能性も!?

結婚線が上向きカーブ

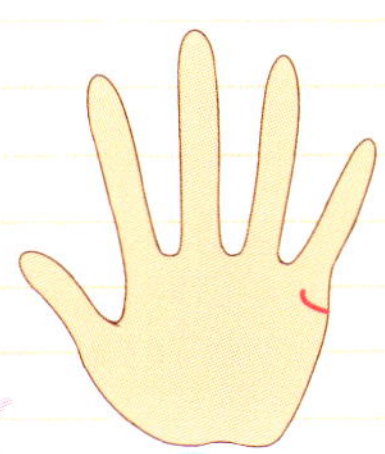

理想の相手と幸せに！

あなたは、自分の理想の相手とラブラブ結婚ができそう♡　いつまでも恋人のような夫婦になれるはず♪

結婚線が太陽線とぶつかる

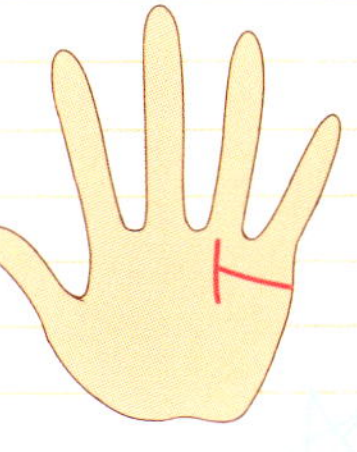

玉のこしにのれちゃう…!?

大金持ちや有名人と結婚して、玉のこしにのれちゃう可能性大！今から美しさにみがきをかけちゃおう♡

あなたは将来、どんな仕事をする？

頭脳線が長い

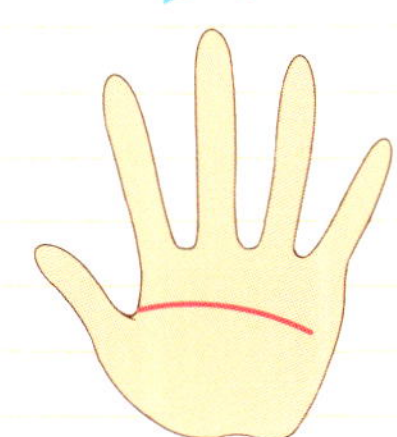

頭を使う仕事が◎

頭脳線が薬指の下よりも長いコは、考え深いタイプ。コンピュータ関係や銀行など、頭を使う仕事がぴったり★

頭脳線が短い

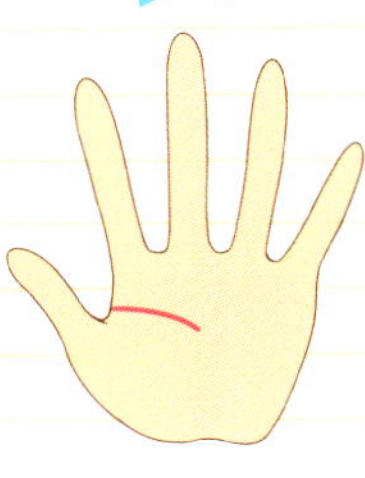

アイデアで勝負！

頭脳線が薬指の下までいかずに終わっているコは、ひらめきの天才。企画力が重要な、テレビや編集の仕事向き♪

頭脳線が真横に伸びる

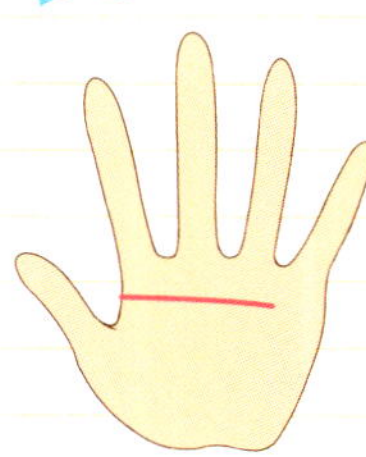

流行を先どりしよう★

トレンド情報にびんかんなあなた。流行を先どりできるから、どんな仕事もうまくこなせちゃいそうだよ♪

頭脳線が下がっている

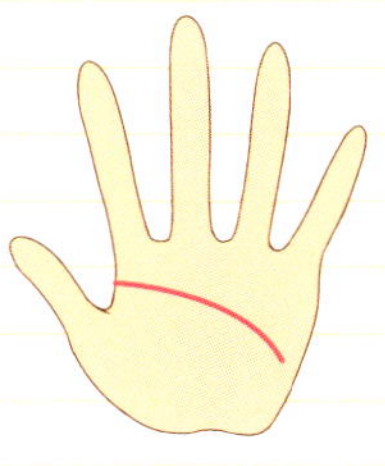

芸術方面のセンスが！

ロマンチストで、芸術家肌！ デザイナーや作家、ミュージシャンなどの仕事で実力を発揮できそうだよ♪

頭脳線が2本ある

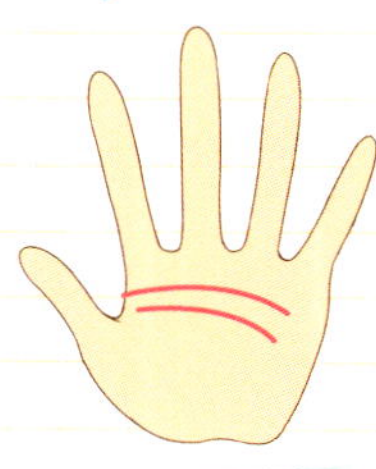

2つの才能で成功！

会社につとめながら絵をかいたり、お店を経営しながら本を出版したりと、2つの仕事で大成功しちゃいそうだよ♪

頭脳線が分かれている

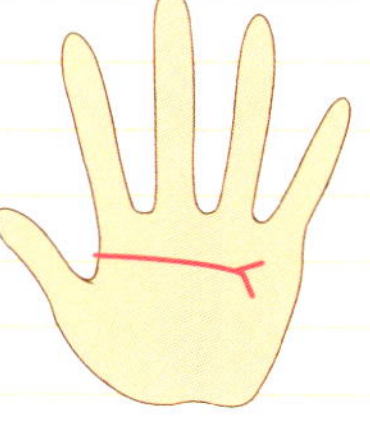

お金もうけの天才！

あなたは、お金をもうける才能がバツグン！ 会社経営で大成功したり、株をはじめて大金持ちになるかも★

おまじない
あきびんに好きなフルーツの絵をかいて、アクセサリー入れにしよう。部屋の西側に置いておくと恋愛運がアップしそう♥

友だちと、家族と、み～んなで楽しめるゲームを大紹介しちゃいます♪　定番の遊びから、ちょっとめずらしいトランプゲームやクイズまで盛りだくさん!!

ゲームは、もっとも一般的なあそび方を紹介しているよ。なかには、この本では紹介していない、別のルールであそばれているゲームもあるよ。

その1
身のまわりにあるものでできる！
盛り上がりゲーム15
特別な道具を用意しなくてもOK！ みんなで楽しめるゲームを紹介するよ♪
まだまだバス移動はつづく——。
な——っ
あきたから何かゲームしようぜ
古今東西はありきたりだしな〜
じゃあ古今南北はどうかな？
古今南北!?
ゲーム1 古今南北
遊び方を説明するね
①まず親を決めて、親がお題を出すよ。
たとえば、お題が「くだもの」に決まったら…
②全員（親も含む）が、NGワード（言っちゃダメな言葉）をメモ用紙にひとつずつ書くよ。
もも
キウイ
パイナップル
すいか
みかん
③ひとりずつ順番に、お題から連想する言葉を言っていくよ。その言葉をだれもNGワードに書いていなかったらセーフ！次のコに手番が移るよ。
りんご
ぶどう
メロン
みかん

④NGワードをだれかが言ったら、
「どーん！」と指をさしてね！

その時点で、このお題は終了。

⑤そのNGワードを
書いた人はプラス1点！
NGワードを言ったコは、
それを書いていた人数分
点数がマイナスになるよ。

⑥親がとなりのコに移るよ。
親を1周し終えたあと、
合計点数が高いコが勝利！

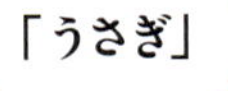

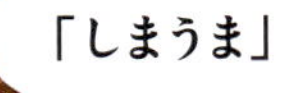

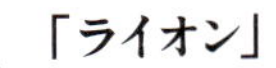

どーん！
なっ
オマエなっ
ふざけんなよ！
イキナリか!!
まぁまぁ
何よ
悪いのは
アンタでしょ
じゃあ
仕切り直して
オレが親
次は
「都道府県」で
どうかな？
「北海道」
「愛知」
し…「静岡」
「大阪」！

どーん!!
それは
オマエのほう
だろうが！
バチバチ
ちょっと
アンタ！
いちいち
わたしに合わせ
ないでよね！
また…
ちょっと
2人とも…
合ってない!!
なによ
んだコラ
この2人
気が合いすぎるん
だよな～
ほらね

リズムゲーム

プレイ人数 3人以上（5～6人がベスト） | 所要時間 1分～ | 難易度 ★☆☆

どんなゲーム？

4拍のリズムに合わせて手をたたきながら、指定された数だけ自分の呼び名を言うゲームだよ。指定された回数自分の呼び名を言えなかったり、リズムに乗れなかったりしたら負け！　気軽にできるけど、白熱することまちがいなし★

プレイヤー全員の呼び名を、2文字で決めよう。名前が2文字のコはそのまま、3文字以上なら、ほのか→「ほの」、しおり→「しお」など区切ってもいいね♪

おまじない
小さくなるまで使ったえんぴつや消しゴムは、友情のお守りになるんだって。キレイな袋に入れて持ち歩こう！

▷ゲームのやり方

遊び方

1 円になりじゃんけんで**親**を決めてね。

2 **親**の「せーの」の合図で、「しお(親の呼び名)、から、はじ、まる、リズ、ムに、合わ、せて♪」と、手をたたきながら4拍子×2回のリズムで言って開始！

3 4拍のリズムをとりながら、**親**は次のプレイヤーの呼び名と1～4回までの回数を指定するよ。リズムのとり方の⑤～⑥を参考にしてね！

例「○、○、ほの、3」

4 指名されたプレイヤーは、自分の呼び名をお尻合わせで回数分言うよ。動作は①～④と同じだよ。

例 1回→「○、○、○、ほの」
2回→「○、○、ほの、ほの」
3回→「○、ほの、ほの、ほの」
4回→「ほの、ほの、ほの、ほの」

5 4をまちがえずに言えたら、次の4拍子でだれかを指名しよう。

6 だれかがまちがえるまで、4～5をくり返してね★

リズムのとり方

①ひざをたたく

②手をたたく

③右手の親指を立てる

④左手の親指を立てる

⑤ひざと手をたたく

⑥右→左で親指を立てる

決着は？

リズムに乗って正しく呼び名を言えなかったら、全員で「アウトー！」とまちがえた人を指さそう。何度かくり返して、いちばんアウトになった回数が少なかったコが優勝だよ♪

ワードウルフ

プレイ人数 4人以上	所要時間 5分～	難易度 ★★★

どんなゲーム？

与えられたお題について、プレイヤーが話し合うゲームだよ。お題は2種類あって、ひとりだけちがうんだ。多数派は、話し合いによってちがうお題をわたされた仲間はずれ、「ワードウルフ」を探し出すのが目的だよ！

用意するもの

・ペン
・メモ用紙
・タイマー
（なければ時計でも）

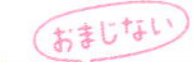

スプーンに自分の顔をうつしてにっこりと笑顔をつくろう！　みんなの人気者になれるかも♪

▷ゲームのやり方

準備

最初に、**ゲームマスター**をひとり決めるよ。**ゲームマスター**は、お題を2種類考えてメモ用紙に書こう。ひとつ目のお題は1枚にだけ、2つ目のお題は残りの紙すべてに書いてね(例**ゲームマスター**をのぞいたプレイ人数が5人なら、りんごを1枚に、バナナを残り4枚に書く)。例の場合、りんごを引いたコが**ワードウルフ**(仲間はずれ)になるよ。お題を決めた**ゲームマスター**は、その回のゲームには参加しないよ。みんなの様子を見守ろう!

例 ゲームマスターをのぞくプレイ人数が5人の場合

りんご	バナナ	バナナ	バナナ	バナナ

お題の例

お題は、「りんごとバナナ」、「忍者とさむらい」のように、できるだけ関連しているものを考えよう!

「ギター」と「ピアノ」	「恋人」と「心友」	「もも太郎」と「浦島太郎」
「だてメガネ」と「マスク」	「野球」と「サッカー」	「かつら」と「ヘルメット」
「天気予報」と「うらない」	「そば」と「うどん」	「いくら」と「めんたいこ」
「宝くじが当たる」と「お金を拾う」	「お好み焼き」と「ピザ」	「わさび」と「からし」
「テストで100点」と「カラオケで100点」	「サンドイッチ」と「ハンバーガー」	「フライドチキン」と「フライドポテト」
「遊園地」と「動物園」	「マグカップ」と「紙コップ」	「うさぎ」と「ハムスター」
「ジンジャーエール」と「オレンジジュース」	「ゆか」と「かべ」	「幼稚園」と「小学校」
「国語」と「算数」	「忍者」と「さむらい」	「せんべい」と「クッキー」

遊び方

1 **ゲームマスター**が、参加者にお題を配るよ。ほかの人からは見えないようにお題を確認しよう。

2 タイマーを3分間に設定して、お題について話し合おう。好きな順番で話してね♪

例「お題って、『くだもの』だったよね?」
「うん、わたしコレ好きだな～」
「食感がいいよね!」

3 3分たったら、**ゲームマスター**は「終了です」と言って、話し合いを切り上げよう。

4 **ゲームマスター**の「せーの!」の合図で、仲間はずれのお題を引いた**ワードウルフ**だと思うコを指さそう。

決着は?

指をさされた数がいちばん多かったコが、ワードウルフ候補だよ。ゲームマスターは、ワードウルフを発表しよう。見事正解だったら、多数派の勝ち★　多数派がそれぞれ1ポイントずつゲット。はずれたらワードウルフの勝ちで、多数派の人数分ポイントが入るよ。1ゲーム終わったらゲームマスターを変え、1周したときいちばんポイントが高いコが優勝だよ♪

勝つためのコツ

まずは自分が多数派か、ワードウルフかを見きわめよう!

このゲームのポイントは、ワードウルフ本人も、自分が少数派であるとわかっていないこと。どちらの場合も、自分が多数派かワードウルフかをいち早く知ることが、勝利への近道だよ。

自分が多数派だと思ったら?

ワードウルフを見つけ出すために、いろいろな質問をしてみよう。ただし、ワードウルフに多数派のお題がバレないように、発言には気をつけて!

自分がワードウルフだと思ったら?

まずは、多数派のお題を見抜くことが大切。たとえば、多数派のお題がりんごだとわかったら、「動物の形に切るとかわいいよね」なんて言って、多数派のフリができるんだ。

おまじない 部屋の西側に置いたアクセサリーに、うちわで風を送ってみよう。今よりもっとおしゃれ度がアップするかも♪

カウント・イン・ザ・ダーク

プレイ人数 3人以上	所要時間 1分〜	難易度 ★☆☆

どんなゲーム?

目を閉じて、数字を数えて(カウントして)いくゲーム。ただし、ほかの人とカウントがかぶったらアウト!　シンプルだけど、意外とスリルがあるんだ。何も用意しなくていいし、1ゲームの時間も短いから、どんな場所でも遊べちゃうよ♪

ポイントを記録するメモ用紙があると便利♪

遊び方

1 まずは、カウントする数を決めよう。最初は15くらいからがおすすめ。

2 全員が目を閉じるよ。だれでもいいから、「カウント、スタート!」と言おう。

3 1、2、3……と、ひとりずつカウントしていくよ。カウントした回数がポイントになるから、積極的に言おう!　ただし、同じコがつづけてカウントすることはできないよ。

4 最初に決めた数字までカウントしたら終了!　カウントした回数だけ、そのコのポイントになるよ。

5 カウントがかぶったら、その時点で終わりにしてね。カウントがかぶったコは、それぞれマイナス3ポイントになっちゃうよ。

6 何ゲームかくり返して、いちばんポイントを獲得したコが勝利だよ★

ブルー★気分が晴れない一日。笑顔が開運のカギだよ♪

ウインクキラー

プレイ人数 ４人以上（６人以上がベスト）｜所要時間 ５分〜｜難易度 ★★☆

どんなゲーム？

ウインクキラーと呼ばれる犯人役が、ウインクで市民役を次つぎと葬っていくゲーム！　市民役は、ウインクキラーを見つけ出して、「告発」を成功させなければならないよ。ウインクがじょうずにできるかが、勝利のカギかも……!?

用意するもの

トランプ

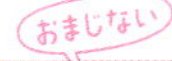

気になるカレとのデートの日、クリップをひとつだけ持って行って。デートが成功するかも♪

▷ゲームのやり方

準備

全員が輪になって座るよ。全員の顔がよく見えるように、位置を調整してね！トランプがある場合は、人数分のカードに、1枚だけジョーカーを混ぜて**ウインクキラー**の印に。ない場合は、人数分のメモ用紙に1枚だけハートマークをかいて**ウインクキラー**の印にした、くじをつくろう。

遊び方

1 トランプ(またはくじ)を配るよ。ほかのコに見えないように確認しよう。**ウインクキラー**になったコは、**市民**を装って正体をかくしてね。

2 全員が確認したら、ゲームスタート。チラチラとまわりの人と目を合わせていくよ。**ウインクキラー**は、目が合った人にウインクすると、その人を脱落させられるんだ！

3 **ウインクキラー**にウインクされた**市民**は、心の中で10秒カウントしたあと、「やられた！」と言って脱落してね。すぐに言うと、ほかのコに**ウインクキラー**が特定されてしまうからNG。

4 犯人がわかった**市民**は、手をあげて「告発します！」と宣言しよう。でも、ひとりでは告発できないんだ。ほかの**市民**が、すかさず「**証人**になります！」と手をあげてね。**告発者**と**証人**の2人は、「せーの！」で**ウインクキラー**だと思う人を指さすよ。このとき、**ウインクキラー**が**証人**になって、告発をじゃましてもOK！

5 2人が同じ人を指さしたら、さされたコは正直に自分の正体を明かしてね。このとき、正体がまちがっていたり、2人が同じ人をさせなかった場合は、告発失敗！　**告発者**だけが脱落して、ゲーム続行だよ。

ラッキー★ 心友って呼べるコが出現！ ビビッときたら、積極的に話しかけて。

決着は？

市民が2人以下になったら、ウインクキラーの勝利！　告発が成功して、ウインクキラーの正体を見破れたら、市民側の勝利だよ♪　何ゲームかする場合は、ウインクキラーの勝利→5点、告発成功者→3点、証人成功者→2点、生き残った→1点……などポイントをつけて、いちばんポイントが多かったコが優勝としてもOK。

追加ルールを入れてみよう！

人数が多い場合は、ウインクキラーを増やそう。ウインクキラーは、参加者が9人以上なら2人、13人以上なら3人くらいがベスト。また、犯人をかばう「共犯者」や、脱落者をウインクで復活させられる「エンジェル」がいるルールもあるよ。ウインクがむずかしければ、舌を出したり、鼻の穴をふくらませるなどでもOK。

絵スチャー

プレイ人数 4人以上（偶数）｜所要時間 10分～｜難易度 ★☆☆

どんなゲーム？

ペア対抗戦！　ひとりがお題に沿った絵をかき、もうひとりがそのお題をすばやく言い当てる、お絵かき版のジェスチャーゲームだよ♪　早く伝えようとかくと、意外と変な絵になりがち。カンタンだけど盛り上がることまちがいなし！

用意するもの

・ペン（人数分）・メモ用紙

準備

全員に、ペンとメモ用紙を3枚ずつわたすよ。それぞれ、絵でかけるお題を、メモ用紙1枚にひとつずつ、文字で書こう。みんなが知っているものや、「走る」などの動詞でもOK。お題メモは見えないように集め、シャッフルしてね。

遊び方

1 ペアを組むよ。ペアの中で、先にかくコⒶ、あとにかくコⒷを決めよう。あとにかくコが**回答者**になるよ。

2 各チームのⒶのコが、お題メモの中からランダムに1枚引くよ。Ⓑのコに見えないように確認したら、各自新しいメモ用紙とペンを持ってスタンバイ。Ⓑのコはペアの正面に座ろう。

3「よーい、スタート！」のかけ声で、Ⓐのコたちは一斉に紙に絵をかくよ。矢印以外の記号や文字を書いたり、声を出したり、身ぶりでⒷのコに答えやヒントを教えるのはNG！

4 Ⓑのコは、答えとして思いついたものをどんどん発言しよう。正解を言ったら、Ⓐのコは「正解」と言い、そのお題は終了。正解したペアは+1点！

5 ⒶとⒷの役割を交代して次のお題も同じように行おう。これをくり返し、お題メモがなくなったときにいちばんポイントが多かったペアが勝利だよ★

超ブルー★何をしても中途半端に終わってしまいそう…。

フラッシュ

プレイ人数 4人以上	所要時間 1分～	難易度 ★☆☆

どんなゲーム？

古今南北（198ページ）とは反対に、ほかの人と同じ答えを書くほど得点になるゲームだよ♪　自分がメジャーだと思っていた答えがズレていたり、だれと気が合うかわかったりしちゃうかも……!?

用意するもの

- ペン（人数分）
- メモ用紙（多めに）
- タイマー（なければ時計でも）

これは…
トラと緑川さんが
強そうだな（笑）

遊び方

1 全員にペンとメモ用紙を配るよ。じゃんけんで**親**を決めて、**親**が適当にお題を決めてね。お題は、思い浮かぶ言葉が多いもの、たとえば「赤いもの」、「遊園地」、「スイーツ」、「スポーツ」などがおすすめだよ。

2 タイマーを1分にセットし、**親**をふくむ全員が、一斉にお題から連想される言葉を紙に書いていくよ。制限時間内ならいくつ書いてもOK！　1分たったら、ペンを置いてね。

3 **親**の左どなりのコから、自分が書いた言葉を読みあげて答え合わせするよ。ほかのコは自分と同じ回答が発表されたら手をあげてね。手をあげた人数分のポイントが、同じ答えを書いたコ全員に入るよ。自分ひとりしか書いていなかったら0点！

4 **親**がとなりのコに移るよ。**親**を1周して、いちばんポイントが高かったコが優勝だよ★

おまじない　キャンディーやガムなど、ミントの香りがするものをハンカチに包んで持ち歩くと、車よいをしなくなるんだって！

ゲーム8 この人だあれ？

プレイ人数 3人以上 | 所要時間 5分〜 | 難易度 ★★★

どんなゲーム？

だれのモノマネをしているのかを当てる、シンプルなゲームだよ。カンタンだけど、意外なコがモノマネじょうずでびっくりしたり、ヘタすぎて笑っちゃったりして、とっても盛り上がるよ♪

遊び方

1 じゃんけんをして、勝ったコが**出題者**になるよ。

2 **出題者**は、お題となるものを決めるよ。お題はなんでもOKだけど、みんながわかるものにしよう♪

3 **出題者**は、みんなの前でモノマネをするよ！　ほかのコは、出題者がなんのモノマネをしているか当ててね。

4 お題の答えがわかったら、手をあげて回答しよう！　当たったら**出題者**と正解したコにそれぞれ1点ずつ入るよ。だれも答えがわからなかった場合、**出題者**は「ギブアップ！」と宣言しよう。その場合、**出題者**はマイナス1点になるよ。

5 次のコが**出題者**になって、ゲームをつづけよう。全員が出題し終えたとき、いちばんポイントが多かったコが勝利だよ★

お題の例

- 有名なタレント
- はやりの芸人
- 学校の先生
- 歴史上の人物
- 動物
- 歌手
- マンガやアニメのキャラクター

ゲーム9 事件をすいりせよ！

プレイ人数 4～8人 | 所要時間 5分～ | 難易度 ★★★

どんなゲーム？

もしも事件が起きたら……!? みんなの反応を聞いて、回答者が元になった事件が何かをすいりするゲームだよ。よいヒントを出したコにもポイントが入るから、回答者以外のコも気が抜けないよ♪

用意するもの

・ペン（人数分）
・メモ用紙

おまじない
毎晩寝る前にお気に入りのぬいぐるみに自分の欠点を話すと、ぬいぐるみが欠点をとりのぞいてくれるかも！

▷ゲームのやり方

準備

じゃんけんをして、勝ったコが**探偵**になるよ。最初に、**探偵**になる順番を全員分決めておこう。

遊び方

1 **探偵**以外の全員でお題を決め、メモ用紙に書いておこう。

例「テストで0点をとったら?」

2 **探偵**以外の全員は、お題となる事件が起きたとき、どんな反応をするかを考え、メモ用紙に書きこもう。

例「捨てちゃうかも」「おこづかいが減りそうだ」「次こそはがんばる!」

3 全員が反応を書き終わったら、ひとりずつ公開して読みあげるよ。

4 **探偵**は、ヒントを聞いて元になった事件をすいりしよう! 回答できるのは3回までだよ。

お題(事件)の例

- もしも宝くじが当たったら?
- もしも子犬を拾ったら?
- もしも1万円拾ったら?
- もしも怪獣が攻めてきたら?
- もしも好きな芸能人が目の前にあらわれたら?

決着は?

探偵は、1回目の回答で正解したら3点、2回目なら2点、3回目なら1点をゲット! さらに探偵は、いいヒントを書いたひとりを選び、1点ポイントを与えられるよ。全員が探偵として回答したらゲーム終了。いちばんポイントが高かったコが優勝!

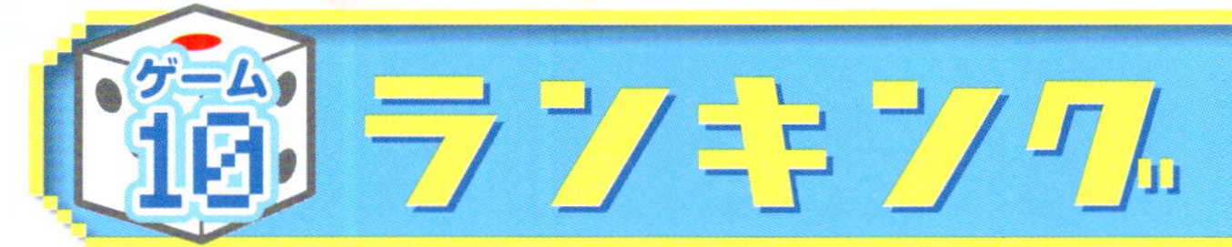

プレイ人数 4人以上 | 所要時間 10分～ | 難易度 ★★★

どんなゲーム？

あるお題について、参加者内で順位をつけるとどうなるかを予想するゲームだよ。ポイントは、お題で1位になることではなく、正確に結果を予想するのが大切になるということ！　競争系のお題では、意外ながんばりが見られるかも♪

用意するもの

- ・ペン（人数分）
- ・メモ用紙（多めに）

おまじない
友だちと仲直りしたいときは緑の便せんで手紙を書いてみて。部屋の南東に1日置いてからわたすと、仲直りできるはず！

▷ゲームのやり方

準備

全員に、メモ用紙とペンをわたすよ。メモ用紙は多めに配っておいてね。

遊び方

1 だれでもいいから、順位をつけられるようなお題を出すよ。

例「目を閉じて片足で立っていられる時間」

2 お題が決まったら、どんな順位になるか予想をして、自分のメモ用紙に書こう。順位には、自分の名前も入れてね。ただし、競争系のお題で自分の名前を最下位に書くのは禁止！

3 全員が書き終えたら、実際にお題の答えを確認して順位を出してみるよ♪

4 自分が書いたランキングと、実際の順位との答え合わせをしよう！

お題の例

- ペンポーチに入っているペンの数
- 新幹線に乗った回数
- お父さんの年齢が高い順番
- 立ち幅とびのキョリ
- 目を閉じてカウント。いちばん10秒に近いのは?

決着は?

予想とピッタリ賞なら+3点、ひとつちがいなら+１点ゲット！　お題を変えて何回戦か行って、総合得点がいちばん高いコが優勝だよ♪　競争系のお題なら、１位をとったら+１点にすると、より盛り上がるかも♪

ゲーム11 20の質問

プレイ人数 4人以上	所要時間 5分～	難易度 ★★★

どんなゲーム?

出題者が決めた「もの」が何か、探求者が20の質問をして、正解を導きだすゲームだよ。「はい」か「いいえ」で答えられる質問をして、答えに近づいていこう!

用意するもの

・ペン　・メモ用紙

準備

じゃんけんで**出題者**を決めるよ。**出題者**は、「もの」を決めて、紙に書いておこう。「もの」はなんでもいいけれど、「タコ」や「東京タワー」など、**探求者**全員が知っていそうなものにして。

遊び方

1 **探求者**が、ひとりずつ順番に質問をしていくよ。質問は、「はい」か「いいえ」で答えられるものにしてね。

例 **「生きものですか?」「人間より大きいですか?」**

2 **出題者**は質問に、「はい」か「いいえ」と正直に答えるよ。「はい」や「いいえ」では答えられない質問は、「どちらともいえない」と答えてね。

3 **探求者**は、「もの」の正解がわかったら、質問をする代わりに答えを言うよ。正解だったら、そのコの勝ち!まちがっていたら脱落してね。

4 質問は、全部で20回まで! 20回質問したら、ひとり1回ずつ「もの」の答えを言うよ。

5 **探求者**が正解したら、+10点!**出題者**は、質問を受けた回数×1点ゲットできるよ。だれも正解できなかったら全員の負けで、ポイントは入らないよ。全員が出題し終えたとき、いちばんポイントが高かったコが優勝★

おまじない　新聞の天気予報のらんの晴れマークの部分を、切り抜いて持ち歩こう。カレとずっとなかよしていられるんだって!

はい、ポーズ！

プレイ人数 3人以上 | 所要時間 1分～ | 難易度 ★★★

どんなゲーム？

みんなで一斉に、お題にぴったりなポーズをとるゲーム。ほかのコと同じポーズをとれたら高ポイント！　思いきってポージングしよう。

お題の例

- スポーツ（野球、サッカー、テニスなど）
- 生きもの（キリン、ゾウ、タコなど）
- 職業（警察官、先生、特定の芸能人など）
- 動作（本を読む、泳ぐ、ボールを投げるなど）

遊び方

1 だれでもいいから、ポーズをとるお題を決めるよ。

例 バレーボール

2 準備ができたら、「せーの！」の合図で、一斉にポーズをとろう！

3 ポーズをとったところでストップ！　みんなのポーズを見て、同じポーズをとっているコが何人いるかを確認しよう。2人が同じなら、それぞれに2点……など、ポーズをとっている人数分のポイントがゲットできるよ。

4 何回か遊んで、いちばんポイントが高かったコが優勝だよ★　「おもしろいポーズのコに＋1点」など、追加ルールがあっても楽しい♪

お題→バレーボール

いい日★ラッキースポットは映画館！　新作映画をチェックしよう★

ゲーム13 人狼ゲーム

プレイ人数 4人〜（7人以上がベスト） | 所要時間 15分〜 | 難易度 ★★★

昨日の夜、
マユ（わたし）が
無惨な姿で
発見されました

どんなゲーム？

平和な村に、人狼と呼ばれるおそろしいオオカミ人間があらわれた！ 村人になりすます人狼を見つけ出して処刑すれば、村人の勝ち。気づかれずに村人をおそえば人狼の勝ち。ヨーロッパの歴史ある遊びをアレンジした、高度な心理戦を味わえるゲームだよ★

用意するもの

- トランプ
- タイマー（なければ時計でも）

むずかしいけど
おもしろそう！
うらない師を
やってみたいな♪

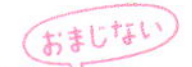

大事な試合に負けそう…。そんなときは、反時計まわり（左まわり）に一回転すると、逆転勝利のチャンスが訪れそう♪

▷ゲームのやり方

準備

全員が輪になって座るよ。まずは役職を決めよう。それぞれの役職の数はプレイヤーの人数によって変わるけれど、ここでは基本的な4つの役職で行う場合のやり方を紹介するよ。トランプがある場合は、ジョーカー＝**人狼**、A＝**ゲームマスター**、Q＝**うらない師**、2〜4＝**村人**……などと決めよう。トランプがない場合は、それぞれの役職をメモ用紙に書いてくじをつくってね。

役職

絶対に必要な役職は、人狼、村人、ゲームマスターの3つ。5人以上いる場合は、うらない師を追加しよう！

人狼

オオカミ人間。夜の回で、村人をひとりおそって、葬ることができるよ。自分が人狼だとバレないように、村人のフリをしよう！

少人数ならひとり、9人以上なら2人、14人以上なら3人に。

村人

能力をもたないため、人狼に襲撃されるとやられてしまうよ。だれが人狼なのかをすいりして処刑し、村に平和を取り戻そう！

能力者以外は全員村人になるよ。

ゲームマスター

ゲームを進行する司会。最初の夜におそわれる人でもあるよ。人狼やうらない師がだれなのかを知る、唯一の人だよ。

ゲームマスターはつねにひとりだけだよ。

うらない師

能力者。夜の回でひとりを指定して、その人が人狼なのか、そうではないのかを知ることができるよ。村人サイドのたよれる存在！

うらない師はひとりだけ。プレイヤーが多いときは、ほかの能力者を増やそう。

人数が多いときは…

狩人

能力者。夜の回で、だれかひとりを指名して人狼から守ることができるよ。ただし、自分がおそわれると、たおされてしまうんだ。

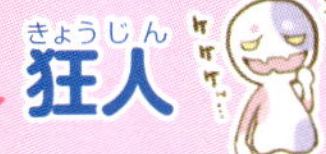

狂人

人なのに人狼の味方をするとんでもないやつ。うらない師や村人のフリをして、人狼が生き延びるように誘導するよ。ただし、人狼におそわれるとたおされてしまうんだ。

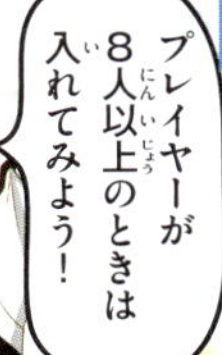

ブルー★ 無理は禁物。音楽を聴いてリフレッシュしよう！

遊び方　1日目の夜

1 トランプ（またはメモ用紙でつくったくじ）を配るよ。ほかのコに見えないように確認しよう。**ゲームマスター**になったコは、すぐに自分の正体を明かしてね。

2 人狼ゲームでは、プレイヤーが目を閉じる「夜」と、みんなで話し合う「昼」を交互に行うよ。まずは1日目の夜からスタート。

3 **ゲームマスター**以外の全員が目を閉じるよ。**ゲームマスター**は、まずは**人狼**がだれなのかを確認してね。

例「**人狼**は目を開けてください」

4 **ゲームマスター**は、**人狼**が確認できたら目を閉じさせよう。同じように、**うらない師**も確認するよ。**うらない師**は1日目の夜に、だれかひとり、**人狼**かそうでないかを調べることができるんだ。

例「**うらない師**は目を開け、うらなう人をひとり指名してください」

5 **ゲームマスター**は、**うらない師**が指さしたコが**人狼**か、そうでないかをジェスチャーで教えてね。伝えたら、**うらない師**の目を閉じさせよう。

2日目の昼

1 **ゲームマスター**は、「朝」がやってきたこと、村に**人狼**があらわれたこと、最初の犠牲者が自分であることを発表するよ。

例「朝がやって来ました。昨日の夜、マユ（ゲームマスターの名前）が無惨な姿で発見されました。この村には、おそろしい**人狼**がひそんでいるようです。**村人**のみなさんは話し合いで**人狼**だと思う人を見つけ、処刑してください。話し合いは3分間です」

おまじない　本音を書いた白い紙を細かくちぎり、白い封筒に入れてから捨てて。自分の意見がはっきり言えるようになるんだって！

2 村人たちは、だれが人狼なのか話し合って決めよう。制限時間は、3分間くらいがおすすめ。ほかの役職だとウソをついたり、自分の役職をだまっていたりしてもOK。

3 時間がきたら、ゲームマスターは話し合いを終わらせ、処刑する人を決める投票をするよ。

例「みなさん、話し合いは終了です。これから、一切発言はしないでください。これより、本日処刑する人を決めます」

4 ゲームマスターの「せーの！」の合図で、人狼だと思う人（処刑したい人）を指さそう。村人やうらない師は本当に人狼だと思う人を、人狼はうらない師や村人を指さしてね。

5 いちばん多く票が入った人を処刑するよ。票が同数になった場合は、同数だった人だけで再度決選投票をしよう。ゲームマスターは、投票結果を発表してね。

例「投票の結果、ヨウくんが処刑されました。ヨウくんはユーレイになり、今後一切発言することはできません」

2日目の夜〜決着

1 昼間の投票で、見事人狼を処刑できた場合は、村人の勝利！ ゲームマスターはゲームを終わらせてね。

例「人狼はいなくなりました。村に平和が訪れました！」

2 処刑された人が人狼ではなかった場合、2日目の夜がやってくるよ。ゲームマスターは人狼に、今晩襲撃する人を聞こう。次に、うらない師にうらなう人を確認するよ。この時点でうらない師がユーレイになっていても、この流れはかならず行ってね。

例「人狼は目を開け、襲撃する人を指定してください」

3 3日目の朝がやってくるよ。ゲームマスターは、昨晩襲撃された人を発表するよ。このとき、うらない師が襲撃されていたら、うらない結果は発表できないよ。このように「昼」→「夜」をくり返し、人狼を処刑して村に平和を取り戻せば、村人たちの勝ち！村人サイドの生存数が、人狼の数と同じか、下まわってしまったら、人狼の勝ちだよ。

ゲーム14 ムード

プレイ人数 4人～ ｜ 所要時間 10分～ ｜ 難易度 ★★

どんなゲーム？

指定されたセリフを、指定されたムードた～っぷりに言うゲームだよ。どのムードを伝えようとしているかを、できるだけ早く伝えることが大切！　演技力がカギになるゲームかも……!?　女優気分で演じきっちゃおう！

用意するもの

- ペン（人数分）
- メモ用紙
- ハサミ

おまじない　赤・青・黒・黄色・白の5色の紙に会いたい人の名前を書き、枕の下に入れて眠ると、夢でその人に会えるかも…!?

▷ゲームのやり方

準備

1 全員にメモ用紙とペンを配るよ。それぞれ、ゲームでみんなに言わせたいセリフを3つずつ考え、それを3枚の紙にひとつずつ書こう。「ごちそうさま」など日常生活で使う言葉や、はやりの芸人のネタ、ドラマの名シーン、人気アニメの名言など、みんなが知っているものにしてね。次に、「どんなムードで言うか」を、みんなで話し合ってたくさん出し、1枚ずつ紙に書くよ。20コ以上あるといいね。

お題の例 セクシーに、ロボット風に、ワイルドに、ビクビクしながら、甘〜く、モノマネしながら、カタコトで、楽しそうに、棒読みで、えらそうに、ソプラノ声で、怒りながら、恋人に言うみたいに、なまりながら、痛そうに、つまらなそうに

2 小さく切ったメモ用紙に1〜10までの数字を書くよ。ムードナンバー用とくじ引き用の2セット用意してね。①3枚×人数分のセリフメモ、②ムードメモ、③ムードナンバー(1〜10)、④ムードくじ(1〜10) をつくろう

1	2	3	4	5
恋人に言うみたいに	甘〜く	楽しそうに	セクシーに	えらそうに

6	7	8	9	10
怒りながら	痛そうに	ワイルドに	モノマネしながら	ソプラノ声で

遊び方

1 じゃんけんで**女優(俳優)**を決めるよ。ほかのコは**回答者**になってね。

2 **女優(俳優)**は、②ムードメモからランダムに10枚とって、③ムードナンバーの下にひとつずつ並べてね(上の図参照)。①セリフメモは、折ってくじにするよ。

3 **女優(俳優)**は①セリフメモから1枚引き、さらに④ムードくじを引くよ。こっそり、ムードくじと同じムードナンバーと、内容をチェック！

4 指定されたムードた〜っぷりにセリフを口にしよう！

5 **回答者**は、**女優(俳優)**が演じたムードをすいりするよ。全員が回答を発表したら答え合わせ！　正解した**回答者**は+1点、**女優(俳優)**は正解者の人数×1点ゲット！

6 全員が**女優(俳優)**をやり終えたとき、いちばんポイントが多かったコが優勝★

ゲーム 15

インフルエンサーをさがせ

プレイ人数 5人以上	所要時間 5分～	難易度 ★☆☆

どんなゲーム？

動作を指示している「インフルエンサー」をさがすゲーム！　みんなの動きを観察して、いち早く動きの出どころをつかもう。カンタンだけど、回答者役のコは、意外と観察力が必要だよ♪

用意するもの

・メモ用紙
・タイマー
（なければ時計でも）

幼稚園のころ
やった～！
ひさびさにやったら
楽しい♪

ゲームのやり方

準備

じゃんけんで、**回答者**をひとり決めよう。**回答者**以外でさらにじゃんけんをして、**インフルエンサー**を決めてね。**回答者**にはバレないように！

遊び方

1 **回答者**のまわりを、ほかのプレイヤーがグルッと囲むよ。**回答者**は最初、目を閉じてね。
2 用意ができたら、**インフルエンサー**役は好きに動き、ほかのコは**インフルエンサー**のマネをするよ。このとき、**インフルエンサー**を見すぎると、**回答者**にすぐバレてしまうから注意！
3 **インフルエンサー**役が動きだして5秒たったら、**回答者**は目を開けてね。この時点でタイマーをスタートしよう！
4 **回答者**は、みんなの動きを見ながら、**インフルエンサー**を見つけるよ。正解したら、その時点でタイマーを止めて。どれくらいで見つけられたか、メモしておこう。**インフルエンサー**をはずしたら、まちがえた回数だけ+15秒記録に加算されるよ。2回まちがえたら、記録+30秒になるんだ。

決着は？

全員が回答者をしたら、ゲーム終了。記録時間がいちばん短いコが優勝だよ！　ちなみに、①30秒で見つけてミス0回のコ(＝記録30秒)と、②20秒で見つけてミス1回のコ(＝記録35秒)なら、①のコの勝利になるよ★

ラッキー★ 積極的に発言したら、先生にほめられちゃうかも！

ハッピーレッスン

6 しぐさ診断ゲーム

しぐさや対応で、友だちやカレの気持ちがわかっちゃう♪
4つの診断ゲームを紹介するよ♪

1 指を引っぱってもらおう

手をパーにして指先を友だちに向け、「好きな指を１本引っぱってみて」とお願いしてね。友だちは、どの指を選んだかな?

① 親指
② 人さし指
③ 中指
④ 薬指
⑤ 小指

あなたをどう思ってる? **友だちの本心!**

①お母さんのような存在
やさしくてしっかり者のあなたにたよりたい気持ちかも。

②お姉ちゃんみたい
リードしてくれるあなたに、甘えたくなっちゃうみたい★

③あこがれの存在
男のコみたいにカッコいいあなたに、胸キュン中♡

④クラスのヒロイン
かわいくてモテモテで、女のコとしてうらやましいのかも!

⑤みんなの妹系!
甘えんぼうなあなたのことが、放っておけないみたいだよ♪

おまじない
前髪を少しつかんでアンテナのように立て、さがしものを思い浮かべよう。なくしたものからのメッセージをキャッチできるかも!?

2 うでを組んでみよう

友だちと横にならんで立ってみよう。左右の立ち位置もご自由に。「せーの！」でうでを組んでみて。さて、あなたのうでは、どうなっている?

① 右うでが上になった
② 右うでが下になった
③ 左うでが上になった
④ 左うでが下になった

このゲームでわかるのは

友だちとの本当の関係性！

① あなたと友だちは姉妹みたいな関係。どちらかというと、あなたが妹だね。友だちに甘えて、遊んでもらっている感じかな♪

② 姉妹みたいな関係で、あなたがお姉ちゃん的な立場。甘えモードも「うんうん」って受け入れちゃうから、友だちは居心地がよさそう……！

③ リーダーシップをもっていて、大事なことを決めるのはいつもあなた。友だちも、あなたの決断力をたよりにしているみたいだよ。

④ 相手に合わせているのがラクで、いつも後ろをついていく感じかも。友だちは、あなたの意見も聞きたがっているかもしれないよ。

3 ひもで形をつくろう

机の上にひもかリボンを置いて、友だちに「コレで好きな形をつくって」ってたのんでみよう。さて、友だちはどんな形をつくった？

① 結び目をつくった

② 丸やハートをつくった

③ 三角や四角をつくった

④ 線のまま

このゲームでわかるのは

友だちとの未来！

① 結び目は、かたいキズナのあかし。友だちはあなたと、ずーっといっしょにいたいと思っているみたい！　一生の心友になれそう★

② 友だちは、あなたともっと仲よくなりたいって思っているよ！　あなたも同じ気持ちなら、これからステキな心友になれそうだね♪

③ あなたにライバル意識をもっているみたい。これからお互いを高め合える存在になるか、バチバチしちゃうかは半々ってところかな。

④ うーん。友だちとあなたには、少しキョリがあるみたい。あなたがもっと仲よくなりたいと思っているなら、積極的に話しかけて！

おまじない

おこづかいを貯めたいときは、貯金箱を部屋の北側に置こう。風水のパワーで、どんどんお金が貯まる予感…！

4 家の絵を完成させよう

まず、あなたが上のイラストのようなシンプルな絵をかき、気になるカレに、自由にかき足してもらおう。「このテスト何?」って聞かれたら、「あなたが今いちばんほしいものがわかるの」ってごまかしちゃえ！

このゲームでわかるのは

カレのあなたへの本音

えんとつをかいた場合は……おめでとう！　カレ、あなたのことが大好きみたい！　**窓**をかいた場合も、あなたのことが気になっているよ。窓が開いていたら、近いうちに恋がはじまるかも!?　**ドア**は、友だちのひとり、って感じ。**女のコ**をかいてあなたに似ているなら、あなたに好意をもっているよ。似ていなければ、残念ながら関心はないかも。**男のコ**をかいてカレに似ているなら、あなたとキョリをちぢめたい気持ちのあらわれ。似ていないなら、あなたにほかにカレがいるってかんちがい中……!?　**木**や**花**をかいたなら、恋をしたい気持ちはあるけど、相手は決まっていないみたい。**ペット**をかいた場合は、あなたのことを妹みたいに思っているよ。**2階**をかいたなら、あなたにちょっぴりあこがれをもっているね。

友だちや家族と絶対盛り上がれる！

その2
トランプゲーム7

定番から、ちょっとめずらしいものまで、楽しいトランプゲームを7種大紹介！

ゲーム1 ぶたのしっぽ

プレイ人数 3人以上	所要時間 10分～	難易度 ★☆☆

どんなゲーム？

クルリと丸をえがいたように広げたカードが、ぶたのしっぽに似ていることから名づけられたよ。カンタンだけど、意外と戦略性があって盛り上がる！　地域によって、さまざまなルールで遊ばれているよ。

使うカード

1組52枚
（ジョーカーは除く）

♥と♦は赤いカード、♣と♠は黒いカードになるよ！

▶ゲームのやり方

1 カードを広げよう

じゃんけんで親を決めるよ。カードをウラにして、イラストのようにクルリと丸をえがくイメージで置いてね。親はその中から好きなカードを1枚めくって、場の中央にオモテにして出すよ。

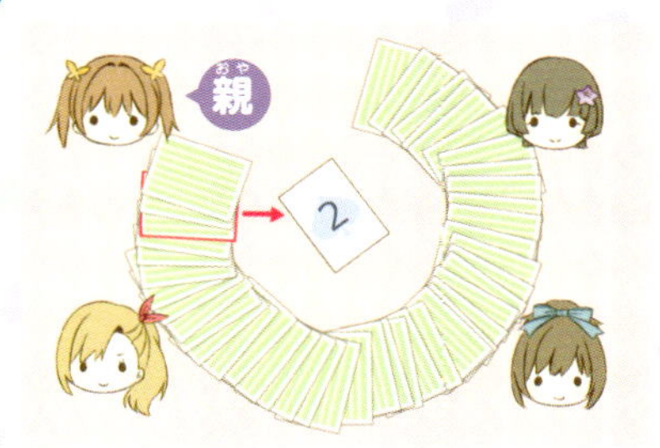

おまじない 授業中に眠くなったら、背筋をのばして両手をグーパーしよう。10回くり返したあと、胸の前で両手を合わせれば眠気すっきり！

② 順番に場札をめくるよ

親の左どなりから、時計まわりに手番が進むよ。場札からカードをめくって、中央のカードの上に置いてね。ひとつ前に置かれたカードと同じ色か、同じ数字のカードを引いてしまったら、場にあるカードをすべて引き取って手札にしなければならないよ。

場札と手札

場札は、テーブルなどの「場」に置かれているカードのことだよ。手札は、手持ちのカードのこと！

③ 場札や手札からカードを出そう

手番になったら、ひとつ前のカードとちがう色&数字のカードを、場の中央に出していくよ。手札に出せるカードがあるときは手札から、ないときは場札から出してね。同じ色か同じ数字のカードを出してしまったら、場札のカードを全部引き取ることに……。

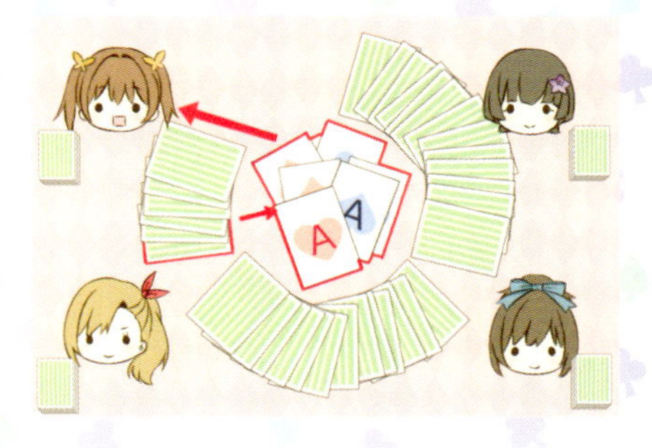

④ すべての場札がなくなったら終了！

場札がすべてなくなったらゲーム終了！　最後に出したカードが、ひとつ前のカードと同じ色か同じ数字だったら引き取って、ちがったらその場に置いておいてね。手札の枚数を数え、いちばん数が少ないコが勝利だよ！

大富豪

プレイ人数 4〜8人 ｜ 所要時間 10分〜 ｜ 難易度 ★☆☆

どんなゲーム?

前に出されたカードより、強いカードを出すゲーム。ゲーム終了後に、大富豪〜大貧民までの階級に分けられるのが大きな特徴だよ！ いろいろなローカルルールがあるけれど、今回はいちばん王道の遊び方を紹介するよ。

使うカード

1組52枚+ジョーカーの、計53枚

カードの強さ

▷ゲームのやり方

1 カードを配ろう

じゃんけんで親を決めるよ。親は、カードをよく切り、自分の左どなりからひとり1枚ずつカードを配ろう。

おまじない 自分の写真の上にりんごの絵（自分でかいてもOK）を置いておこう。なんでも話せる心友ができるかも♪

2 手札からカードを出そう

親からスタートするよ。手札から、カードを出そう。最初に出すカードはなんでもOK。このとき、同じ数字のカード(ペア)や、同じマークで数字がならぶカード(階段)を複数枚出すこともできるよ。

3 前のカードよりも強いカードを出そう

時計まわりで手札からカードを出していくよ。前のカードより強い数字のカードを出してね。出せるカードがなかったり、出したくないときは「パス」と宣言しよう。前のターンでパスをしても、次の手番で出せるカードがあるときは、出してもOK。ジョーカーは、どのカードの代わりとしても使えるし、単体だといちばん強いよ。

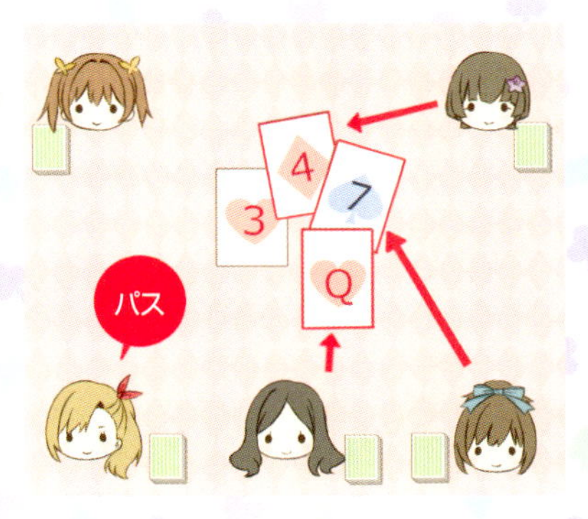

前に置かれたカードに合わせてカードを出そう！

＼前のカードが**ペア**なら…／

前のカードより、強い数字のペアを出せるよ。数字が大きくても、ペアじゃないと出せないんだ。

＼前のカードが**階段**なら…／

前のカードが5、6、7の階段なら、マークをそろえて6、7、8以上の階段をつくれば場に出せるよ。

4 全員がパスしたら新しいカードを場に出す

あるカードを置いてから、全員がパスをしたときは、場のカードはすべて流し（はしによけ）、最後にカードを出したコが、新たに好きなカードを出せるよ！

5 手札を早くなくしたコが優勝だよ！

順番にカードを出していって、いちばん早く手札をなくしたコが優勝！　ちなみに勝利のコツは、弱いカードを早めに場に出して、できるだけ強いカードを最後に取っておくこと！

6 手札がなくなった順にランキング！

手札を早くなくしたコが1位、最後まで残ったコが最下位になるよ。大富豪では、1位は大富豪、2位は富豪、最後から2番目にあがったコは貧民、最下位は大貧民、それ以外は平民とよばれるんだ。

おまじない テストの前は勉強机にローズマリーの花をかざってみよう！　どんどん勉強がはかどるんだって★

7 2回戦からは手札を交換しよう

2回戦目からは、前の回で大貧民になったコが、手札の中でいちばん強いカードを2枚大富豪にわたし、代わりに、弱いカードを2枚受け取らなければならないよ。同じように、貧民と富豪も、強いカードと弱いカードを1枚ずつ交換するんだ。

2回戦目からは、前回の最下位(大貧民)が親になるよ!

追加ルールはいろいろ!

スペ3

「スペード3」のカードのこと。ジョーカーを1枚で出したとき、スペードの3のほうが強くなるよ。

8切り

出したカードに8が1枚でもふくまれている場合、その場で場札を流し、新たに好きなカードを出すことができるよ。

革命

同じ数字か階段で、4枚以上のカードを出したとき、以降はジョーカー以外のカードの強さが逆転するよ。

シバリ

同じマークのカードがつづけて3回出たとき、場が流れるまで同じマークのカードしか出せなくなるよ。

11バック

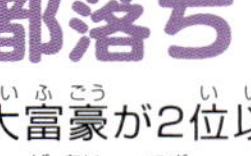

出したカードにJがふくまれている場合、場札が流れるまでジョーカー以外のカードの強さが逆転するよ。

都落ち

大富豪が2位以下だった場合、次のゲームでは自動的に大貧民まで降格してしまうんだ。

プレイ人数 2～5人 | 所要時間 10分～ | 難易度 ★★

どんなゲーム？

ヨーロッパでは古くから遊ばれていた、定番の遊び。同じ数字を集めて、「ブック」をつくるのが目的だよ。だれに何を要求したか、だれがどのカードを持っているか記憶するのが勝利のカギ！

使うカード
1組 52 枚
（ジョーカーは除く）

▶ゲームのやり方

1 カードを配り、ゲームスタート

じゃんけんで親を決め、親がカードを配るよ。プレイヤーが２人ならひとり7枚、３人以上の場合はひとり5枚配って、残りは山札として中央に置いてね。親の左どなりからゲームスタート！手番のコは、だれかを指名して、「○○ちゃん、6をください」と、カードの数字を指定するよ。このとき、指定できる数字は、同じ数字のカードが手札に１枚以上あるものに限られるよ。

要求に成功したら

カードをもらい、要求をつづけられるよ

指名されたコが言われたカードを持っていたら、持っている6のカードをすべて手番のコにわたさなければならないよ。手番のコは、失敗するまで要求をつづけられるんだ。

要求に失敗したら

「ゴー・フィッシュ」山札から１枚カードを引こう

ゴー・
フィッシュ

指定のカードを持っていなかったら、指名されたコは「ゴー・フィッシュ」と言うよ。その場合、手番のコは、山札のいちばん上のカードを引いて手札に加えてね。手番が次のコに移るよ。

おまじない
枕もとにたまねぎのイラストを置いて眠ると、いじめっコや苦手なコがあなたからはなれていくんだって♪

② 同じ数字が4枚そろったら「ブック」が完成！

同じ数字のカードが4枚そろったら、「ブック」が完成！　4枚のカードをオモテ向きに場にならべて、ブックの完成を宣言しよう。ほかのコにカードをもらったり、山札から引いたりして、ブックをたくさん完成させるのが目的だよ。

すべての山札がなくなったら終了！

山札がなくなったら、手札が残っていてもゲーム終了になるよ！　持っている手札は、まざらないように別のところにまとめておいてね。

「ブック」の数がポイントになるよ

完成したブックはいくつあったかな？　ブック1セットを1点とし、いちばんポイントが高かったコが優勝だよ！　勝利のコツは、自分が持っている数字のカードをだれが集めていて、何枚持っているかを覚えておくこと。タイミングよくカードを要求すれば、苦労せずにブックをつくれるよ。

ダウト

プレイ人数 3～10人 ｜ 所要時間 5分～ ｜ 難易度 ★

どんなゲーム？

カウントをしながら場にカードを置いていくだけのシンプルなルールだけど、ほかのプレイヤーの手札や表情を見て、すばやくウソを見抜くのが勝利のカギ！ スリル満点のゲームだよ♪

使うカード

1組52枚
（ジョーカーは除く）

▶ゲームのやり方

1 カードを配ろう

じゃんけんで親を決め、親がカードを配るよ。ひとり1枚ずつ、すべてのカードを配ってね。

2 数字をカウントしながらカードを場に出そう！

親の左どなりのコからスタート。このとき、「1」と言いながら、手札から1～4枚のカードを、ウラにして出すよ。あとは時計まわりに、「2」、「3」、「4」と声に出しながらカードを出していこう。「13」までカウントしたら、「1」に戻ってね。パスはできないから、カウントした数字がない場合は、別のカードを出すよ。

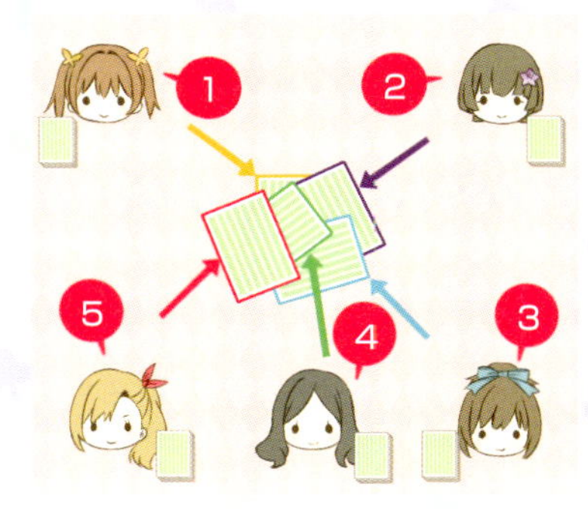

おまじない
植物の種を植えて家族みんなで育てよう。花を咲かせることができたら、家族のキズナがもっと深まるんだって♥

③「ダウト」と言ってウソを見抜こう！

だれかがカードを出した直後、次の人が出す前であれば、「ダウト」とコールできるよ。これは、相手のウソを見抜くための言葉！　カードをオモテにして、カウントと同じ数字か確認するよ。

カードが本物だったら

コールした人が場のカードを引き取る

カウントと場のカードの数字が合っていたら、ダウト失敗！　コールした人が、場に出ているカードをすべて引き取るよ。

ダウトだったら

カードを出した人が場のカードを引き取る

カウントと場のカードが合っていなかったら、ダウト成功！　ウソのカードを出したコが、場のカードをすべて引き取るよ。

④手札がなくなった順に勝ち抜けになるよ！

最初に手札がなくなったコが勝利！ゲームから抜けよう。手札の最後のカードにダウトがかかって、それがウソだと、場のカードをすべて取らなければならなくなるから、最後までしんちょうにね！

ゲーム5 51

プレイ人数 2～7人 | 所要時間 5分～ | 難易度 ★

どんなゲーム？

5枚の手札をすべて同じマークでそろえるゲームだよ。人数が多いほど、集めているマークがかぶりやすいから、なるべく得点が高い数字をいち早くとるのが勝利のカギだよ★

使うカード

1組52枚＋ジョーカーの、計53枚

得点が低くても
まずはマークを
そろえることを
優先しよう！

カードの点数

▷ゲームのやり方

1 カードを配り、場に5枚カードを置こう

じゃんけんで親を決め、親がカードを配るよ。ひとり5枚ずつ配り、残りのカードは山札にしてね。準備ができたら、山札から、場に5枚カードを置くよ。

おまじない 友だちの友だちとも仲よくなりたい！ そんなときは、キラキラしたビーズでブレスレットをつくって身に着けると◎。

❷ 手札と場札を交換しよう

親の左どなりのコから、時計まわりにスタート。「手札のすべてのマークをそろえる」ことを目的に、自分の手札と場札を1枚交換するよ。

1枚交換以外にできること

流す

今の場札をすべて流して、山札から新しく5枚のカードを場札にできるよ。ただし、一度流すと「1枚交換」か「全部交換」しかできなくなるよ。

全部交換

自分の手札と場札をすべて入れ替えるよ。入れ替えたあとは、手札が場札になるんだ。手札がバレるリスクはあるけれど、一発逆転のチャンスも……!?

パス

2巡目以降、場札に交換したいカードがない場合は、パスができるよ。パスは何度でもできるけど、「流す」をした回は使えないから注意！

❸ マークがそろったら宣言しよう！

マークがそろって、見事手札の合計が51点になったら「ストップ」と宣言。あなたの勝利だよ★　2位以下は、点数が高い順に決めてね。手札のマークがそろっていないコは0点になるよ。また、マークがそろっていれば「コール」を宣言することもできるよ。この場合は、その時点で得点が高いコが1位に！　ただし、コールをしたコが1位になれない場合、0点になるんだ。

※ジョーカーは、11点にも10点にもなるよ。この場合は、より得点が高い11点で計算されるんだ。

まあまあ★ 集中できないときは、窓を開けて深呼吸しよう！

うすのろ

プレイ人数 3～13人 | 所要時間 5分～ | 難易度 ★★★

どんなゲーム?

トランプだけど、何よりも大切なのは反射神経！　カードよりも、ほかのコの動きに注意を配るのが勝利のヒケツだよ。手と手がぶつかり合うゲームだから、つめは短く切ろうね★

使うカード

同じ数字のカード4枚1組を人数分。
例 5人なら、A、2～5を、4枚ずつ使うよ。数字はなんでもOK！

用意するもの

・人数分－1のコインまたはおはじき
・ペンとメモ用紙

▶ゲームのやり方

1 カードを配り、コインを中央に置こう

じゃんけんで親を決めるよ。親はカードをよく切り、自分の左どなりからひとり1枚ずつ、それぞれ4枚ずつカードを配ろう。コインは場の中央に置いてね。

2 カードを1枚ずつとなりに送ろう

手札を確認してね。それぞれが、手札から1枚を選んでウラにし、「せーの」の合図で、カードを右どなりのコが取りやすい場所に置こう。

おまじない
黄色い花のかざりがついたヘアピンを前髪にとめておくと、ほしいものが手に入っちゃうかも♥

③ 数字がそろったらコインを取ろう

となりから来たカードを確認し、手札に入れよう。これをつづけて、手札が4枚とも同じ数字になったら、中央のコインを１枚とるよ。だれかがコインを取ったら、残りのプレイヤーは、早いもの勝ちでコインをゲットしよう！

※カードが配られた段階でマークがそろっていたら、ゲームスタートと同時にコインを取ろう。

④ コインを取れなかったコが負け！

コインはプレイヤーの人数よりひとつ少ないから、だれかひとり取れないコが出るよ。そのコが負け！　なお、最初にコインを取ったコは、手札を見せて、数字がそろっていることを証明してね。そろっていなかったら、そのコが負けになるよ。

⑤ 「う・す・の・ろ」がそろったらビリに決まり！

イラストのような表をつくってね。ゲームをくり返して、コインを取りそこねたのが１度目なら「う」、２度目なら「す」、３度目なら「の」、4度目なら「ろ」と書いていくよ。最初に「う・す・の・ろ」が完成してしまったら、そのコの負けが決定！

うすのろ

あい	う	す	の	ろ
いちか	う			
うた	う	す	の	
えりな	う	す		
おと	う	す	の	

ページワン

プレイ人数 2〜6人 | 所要時間 5分〜 | 難易度 ★★★

どんなゲーム？

日本で生まれたゲーム！　場に出ているカードと同じマークのカードを出していき、手札をいち早くなくすゲームだよ。手札がラスト1枚になったら、「ページワン」とコールしなければならないんだ。

使うカード

1組52枚
（ジョーカーは除く）

意外と戦略が重要なゲームだな

カードの強さ

▶ゲームのやり方

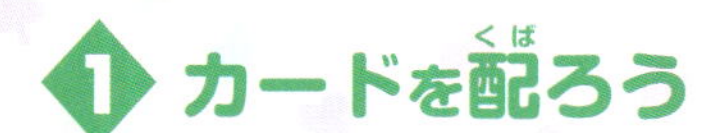

じゃんけんで親を決めるよ。親はカードをよく切り、自分の左どなりからひとり1枚ずつ、それぞれ4枚ずつカードを配ろう。残りは山札にして、中央に置いてね。

おまじない
波が寄せる砂浜に、苦手なものをかいてみて。その文字を波がさらってくれたら、苦手を克服できるかも！

② 同じマークのカードを出そう

親の左どなりのコからスタート！　まず、手札から好きなカードを1枚場に出そう。そのあとは、最初に出されたカードと同じマークのカードを出していくよ。全員が出し終えたとき、もっとも強いカードを出したコが、次に好きなカードを出せるよ。1周したら、場のカードは流してね。

③ 手札をどんどん減らそう

②をくり返して、手札を減らしていくよ。手札に場のマークと同じマークのカードがない場合は、出せるカードが出るまで山札から引きつづけよう。

④ 山札がなくなったら場のカードを引き取る

山札をすべて取っても同じマークのカードが出なかったら、場のカードをすべて引き取るよ。その場合、その回で最初にカードを出したコ（ひとつ前の回でいちばん強いカードを出したコ）が、再び好きなカードを出せるよ。

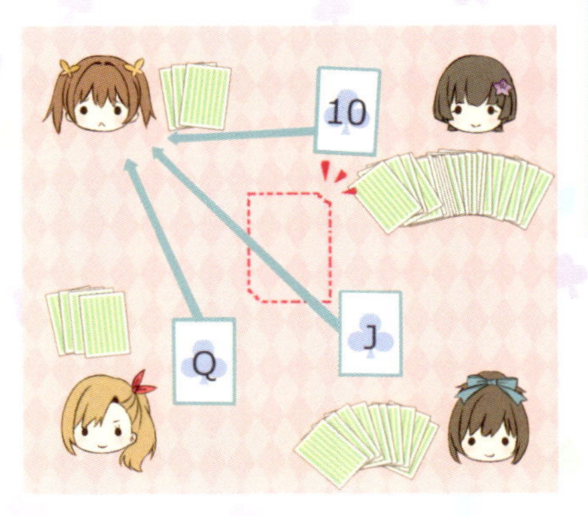

ラッキー★　えんぴつをけずっておくと、問題がスラスラとけるよ！

⑤ ラスト1枚になったら「ページワン」とコール

手札が最後の1枚になったら、「ページワン」とコールしよう。見事、手札がなくなったら勝ち抜け！　なお、コールを忘れると、その回に出された場のカードをすべて引き取らなければならなくなるよ。

ハッピーレッスン 7

トランプ診断ゲーム

友だちとの相性や恋のお悩みなどに効果テキメン!?
トランプを使ってわかる診断ゲームを大紹介★

1 今日の運勢は？

今日はあなたにとってどんな日になるかな? 一日の運勢をチェックしよう★

使うカード

各マークのA～Kの13枚。マークは、うらなう目的に合わせて下の表から選んでね！

	使うマーク	切る回数
うらなうこと	今日のツキ ♠	自分の名前
	ラブ運 ♥	好きなコの名前
	勉強運 ♣	先生の名前
	金運 ♦	おうちの人の名前

やり方

1 まずは左の表で当てはまる名前の文字の数だけカードを切ってね！

2 下の図の番号順に、6枚のカードをウラ向きにならべるよ。

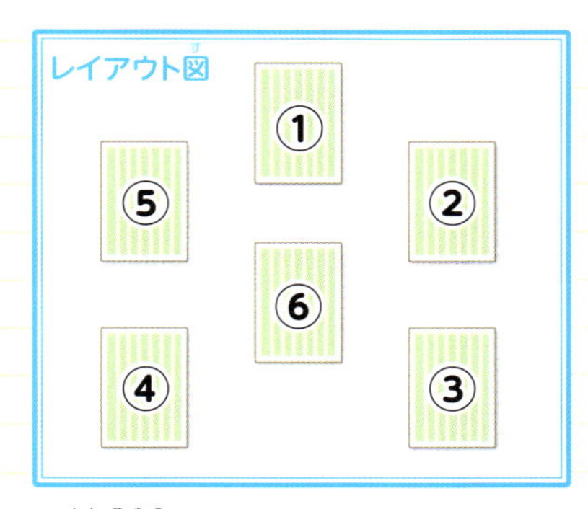

3 深呼吸をしてから⑥のカードをめくってみよう。出たカードの数で診断するよ♪

A、J、Q、Kのカード	6～10のカード	5～2のカード
大吉	吉	凶

ラッキー★ あまり話したことがないコと仲よくなれるチャンス！

2 友だちとの相性は？

あのコともっと仲よくなりたいけど、相性はどうなのかな？そんなときは、ビンゴの数でうらなってみよう♪

使うカード

2種類のマークのA～Kのカード26枚（マークはどれでもOK）

やり方

1. カードをウラ向きにして、自分の名前とうらないたい友だちの名前の数だけカードを切ってね。たとえば、「アカサカホノカ」と「アイハラシオリ」なら14回だよ。
2. レイアウト図の番号順に、カードをオモテ向きにして16枚ならべよう。
3. タテ、ヨコ、ナナメで、4枚同じマークがそろっている列の数で診断するよ！

レイアウト図

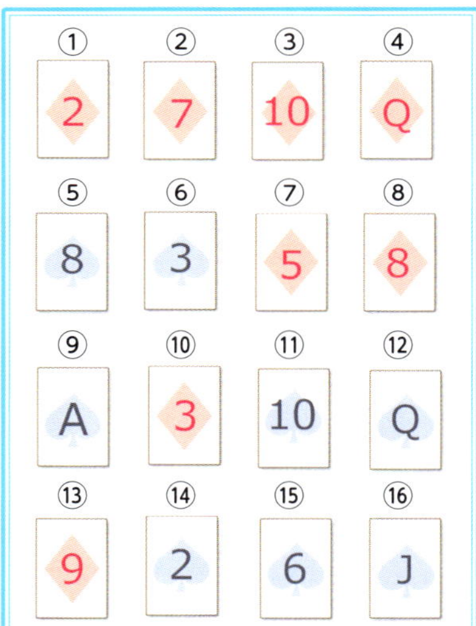

診断

ビンゴになっている数が多いほど、2人の相性はバッチリ♪

3列以上
2人の友情は永遠！　大人になってもずっと心友でいられそうだよ♪

2列
ときどきケンカもするけど、いつの間にか仲なおりできちゃうなかよしコンビ！

1列
今の相性はまあまあ。もっと仲を深めるには、コミュニケーションが重要！

0列
お互いに苦手意識をもってるのかも!?　まずは相手を知ることからはじめてみよう♪

おまじない　紙のコースターのフチにあなたとカレのイニシャルを書き、黒い布につつんで持ち歩こう。カレととなりの席になれるかも♪

3 恋の必勝法は？

好きなカレと、どうやってキョリをちぢめればいい!?　Aのカードを使ったうらないで、カレと近づく必勝法がズバリわかっちゃう♡

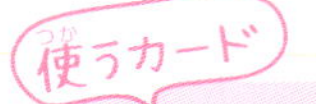

それぞれのマークのAのカード4枚

やり方

1 4枚のカードをよくまぜ合わせたら、レイアウト図のようにならべよう。

2 ①〜④の順に、カードをめくっていってね！

レイアウト図

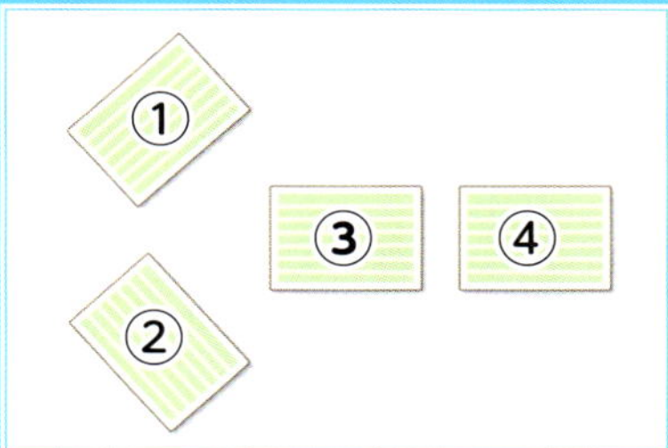

診断

❤Aが何枚目に出るかで、あなたにぴったりのアプローチ法がわかるよ♪

1枚目が❤Aだった

ありのままのあなたがいちばんだよ♪　まずはあいさつから、いつも通り自然に話しかけてみて！

2枚目が❤Aだった

大人数でわいわいしているうちにキョリがちぢまりそう。何人かのグループで仲よくなろう♪

3枚目が❤Aだった

カレと接近するには、いっしょに仕事をこなすのが◎。同じ係や委員会に入って関係を深めよう！

4枚目が❤Aだった

ユーモアたっぷりなお手紙を書いてみて。楽しいコだと思われて、いっきにキョリが近づくよ♪

自分にぴったりのアプローチ方法で、気になるカレと急接近しちゃお♡

4 あなたの夢はかなう？

あなたの夢を実現させるためにはどうしたらいいか、カードでうらなおう！

使うカード

ジョーカーを除く52枚

やり方

① カードをウラ向きにしてよくまぜ、ひとつの山にまとめよう。

② ウラ向きのままカードを２つの山に分け、それぞれの山からカードを7枚ずつ引いてよく切っておこう。

③ 14枚のカードをレイアウト図の番号順にウラ向きでならべてね！

レイアウト図

④ 最後に置いた⑭のカードをめくってみて。出たカードの数字の位置にあるカードをさらにめくり、そのマークで診断するよ♪

例

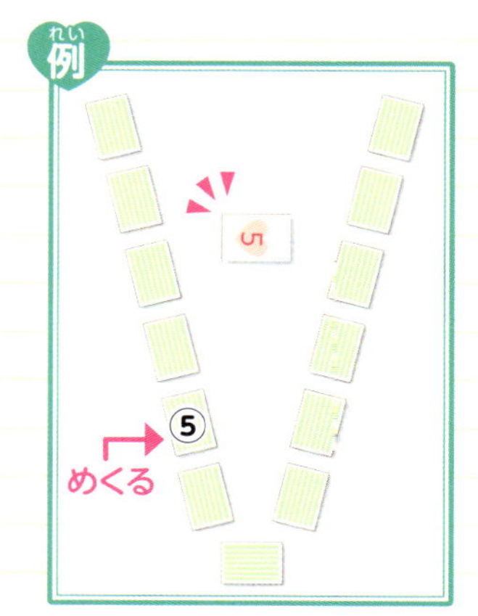

おまじない 雨の音を聞きながら目をとじ、頭の中をからっぽにしてみて。ステキなコーデが思いつきそう♪

診断

めくったカードのマークで、あなたの夢が実現するかがわかっちゃう!?

あなたの夢はきっと実現するよ！

近いうちにあなたの夢を応えんしてくれる人があらわれて、そのあとは思い通りに進んでいくよ。数字が大きいほど、成功の確率も高くなる♪

努力しだいで実現の可能性大！

今まで通りがんばれば、夢はきっとかなうよ♡　ただし、途中であきらめたり、なまけたりするのはNG。せっかくのツキがだいなしになっちゃう！

実現のカギはやる気と積極性！

本当にかなえたい夢があるなら、もう少し積極的になってみよう♪　やる気さえあれば、実現の可能性はじゅうぶんあるよ！　がんばって♪

が出たコは…

今のままではむずかしいかも…！

せっかくがんばっているのに、ちょっぴり方向がズレているのかも……!?　たまには視点を変えて、いつもとちがうやり方に挑戦するのも◎。

頭をやわらかくして考えよう♪

その3

なぞなぞ&クイズ100

わいわいゲームで遊んだら、ちょっぴりブレイクタイム♪　頭を使うなぞなぞやクイズに挑戦してみよう！

何問とけるかな？ なぞなぞ82問

オレけっこう
なぞなぞ得意
なんだぜ！

Q1

トウモロコシをゆでたら
あらわれた伝説の
生きものってな～んだ？

Q2

クイズが得意な人が
食べたがるお菓子は
次のうちど～れだ？

1. マドレーヌ
2. バームクーヘン
3. ソフトクリーム

Q3

せっかく買っても、
どんどん捨てられちゃい
そうなステショって
な～んだ？

Q4

スイーツにハマって
毎日食べている女のコ。
あとどれくらい
食べ続けると思う？

おまじない
食パンのミミを適当な大きさに切って、カレのイニシャルをつくってから食べよう。カレの前でも緊張しなくなるんだって！

Q5

りんごが入った、
アップルパイ。カボチャが
入ったパンプキンパイ。
じゃあ、グチャグチャで
まずいパイは？

Q6

ぶら下げたり
かざったりするための
ラップってな～んだ？

Q7

ちょっと笑ってから
飛ぼうとしているコが
かぶっているもの
な～んだ？

Q8

小銭たちが歌っている
歌ってな～んだ？

Q9

プリンはプリンでも
紙でできているプリンって
な～んだ？

Q10

2回たたいて見つめたら
できたお料理な～んだ？

Q11

暑くて汗びっしょりのコに
思いやりの言葉をかけた
鳥ってな～んだ？

Q12

おしゃべりな人は、
ご近所と遠方の
どちらが好きだと思う？

Q13

4月にピッタリな
ステショってど〜れだ？

1. シャープペンシル
2. ハサミ
3. マスキングテープ

Q14

2人のキョリがいちばん
ちぢまったキスはど〜れだ？

1. はじめてのキス
2. クリスマスのキス
3. 結婚式のキス

Q15

みんなに
お知らせばかり
する魚ってな〜んだ？

Q16

頭ぶつけると
みっともなくなる
鳥ってな〜んだ？

Q17

ナスはナスでも、
とっても美しくてステキな
ナスってな〜んだ？

Q18

人の体の一部で、
ぐっすり眠っている
ところってど〜こだ？

Q19

お兄ちゃんが○をかいたよ。
さて、お兄ちゃんがかいたのは
植物？　それとも動物？

おまじない
金色のカギを右手に持ち、高く上げて3回まわしてみよう！　ラッキーなことが起こるかも♪

Q20

女のコが自分で頭に
さしちゃうチュウシャって
な～んだ？

Q21

探しものをする女のコ。
なかなか見つかりません。
さて、出てくるように
何をしたでしょう？

Q22

雨がザーッと降っています。
あるものをかぶったら、
ザーザーザーと
さらに強くなっちゃった！
さて、何をかぶったと思う？

Q23

シンデレラや白雪姫が、
お城のそうじを
いやがっているよ。
「だって○○○○だもん！」
○に入る言葉、な～んだ？

Q24

たいへんなことが起きても
なんでもないような顔を
しているのはどの生きもの？

❶ **トカゲ**
❷ **カエル**
❸ **カタツムリ**

Q25

もも太郎が音を立てずに
鬼に近づいたよ。
さて、犬、サル、キジは
いっしょにいたと思う？

P.254、255の答え

Q1 ユニコーン（湯にコーン） Q2 ③ソフトクリーム（すぐにとける＝溶けるから）
Q3 ステッカー（捨てっかー！） Q4 当分（糖分） Q5 失敗 Q6 ストラップ Q7 ニット帽（ニッ、飛ぼう）
Q8 校歌（硬貨） Q9 プリント Q10 バンバンジー Q11 スズメ（涼め！）

Q26

なかよしの2人組が
ピアノを弾いたよ。
でも、ある音だけは
弾きたがらなかったんだ。
その音はな〜んだ？

Q27

お尻がついている
軽食ってど〜れだ？

1. コーンフレーク
2. サンドイッチ
3. カップラーメン

Q28

とても立派なのに
点数をつけると
すごく低い点に
なっちゃう建物って
な〜んだ？

Q29

おぼえたての日本語を
しゃべっている外国人から
音が聞こえてきたよ。
さて、どんな音？

Q30

動作がキビキビ
しているコの
悩みってな〜んだ？

Q31

建物の中で、
いつも光が当たって
明るい場所って
ど〜こだ？

Q32

お正月や結婚式のような
おめでたいときに見かける
「ブキ」ってな〜んだ？

Q33

ある乗り物に乗ったら、
大量の水がかかってきたよ。
さて、その乗り物って
な〜んだ？

おまじない
カレに会ったら心の中で「今までの自分にさようなら」ととなえよう。カレとのキョリを近づけてくれるんだって♪

Q34

若く見られたい
お母さんがよくつくる、
おみそ汁の具って
な〜んだ？

Q35

高いところから海に
飛びこむとき、どれくらい
緊張すると思う？

Q36

きのこの国で
パーマをかけている
のはだ〜れだ？

Q37

人生のなかで、と〜っても
大事な時期だと
言われているのはいつ？

Q38

まんなかに「ほうび」が
入っている入れものって
な〜んだ？

Q39

小声で話しながら
たき火をしている2人組。
何を焼いていると思う？

P.256、257の答え

Q12 遠方(トーク=遠くが好きだから)　**Q13** ③マスキングテープ(貼るもの=春もの)
Q14 ③結婚式のキス(誓い=近いのキス)　**Q15** シラス(知らす)　**Q16** カッコウ(頭にぶをつけると「ぶかっこう」)
Q17 ビーナス　**Q18** ネイル(寝入る)　**Q19** 動物(アニマル=兄、まる)　**Q20** カチューシャ
Q21 まじない(マジ、ない)　**Q22** サンバイザー(3倍、ザー)　**Q23** ヒロイン(だって広いんだもん)
Q24 ②カエル(ケロッとしているから)　**Q25** いなかった(音もない=お供、ない)

ラッキー★友だちとおそろいのものを持つと、さらに仲よくなれるよ♪

Q40

こっそり入浴していても
見つかっちゃう人って
どんな髪型？

Q41

こわい猛獣も
何頭か集まると
急にかわいくなるよ。
さて、それは何頭？

Q42

ロングヘアの
女のコってどんな
性格だと思う？

Q43

ダンスが大好きなコは、
人を待つのが得意みたい。
それはどうしてでしょう？

Q44

だるくて、だるくて、
だる〜いときに
はくものってな〜んだ？

Q45

少し会わない間に
10歳になったコが、
変身した動物、ど〜れだ？

1. **ライオン**
2. **コアラ**
3. **ヒツジ**

Q46

「今日見てね」と
わたされたラブレターを
見なかったのは、
どうしてでしょう？

Q47

○が→になる場所
ってど〜こだ？

Q48

何個も集まると
オリンピックになる
フルーツってな〜んだ？

Q49

ぬり絵が大好きなのに
色えんぴつが2本
なくなったら急に
やめたくなっちゃった。
さて、それは何色と何色？

Q50

車をどこかに
ぶつけちゃった人が
着ていた服はな〜んだ？

Q51

「これ以上のものはない！」
と絶賛されている
CDアルバムには
何曲入っている？

Q52

作家のカエルと
読者のカエル。
死んじゃったあと
生き返るのはどっち？

Q53

落ちこんだときに聞くと
元気が出るエンカって
どんなエンカ？

P.258、259の答え

Q26 ド(ふれん「ド」)　**Q27** ①コーンフレーク(シリアル＝尻ある)　**Q28** 御殿(5点)　**Q29** カタコト(片言)
Q30 ニキビ(2、キビ)　**Q31** テラス(照らす)　**Q32** コトブキ　**Q33** 馬車(バシャッ)　**Q34** ワカメ(若め)
Q35 だいぶ(ダイブ)　**Q36** マイタケ(巻いた毛)　**Q37** 10代のころ(重大)　**Q38** 魔法ビン(まほうびん)
Q39 ササ(ササ焼いていた＝ささやいていた)

Q54

クマはクマでも、
時間(じかん)におくれてばかりの
クマってな～んだ？

Q55

犬(いぬ)が逆立(さかだ)ちするのは
よいこと？
それとも悪(わる)いこと？

Q56

読書(どくしょ)をしながら
サイコロをふると
出(で)る数字(すうじ)はな～んだ？

Q57

次(つぎ)の日(ひ)に火事(かじ)が起(お)こると
予告(よこく)されていたのって
何時代(なにじだい)のこと？

Q58

看板(かんばん)の文字(もじ)が
光(ひか)っているのって、
病院(びょういん)の何科(なにか)？

Q59

足(あし)がつくプールと
足(あし)がつかないプール。
入(はい)っていて気持(きも)ち
よくないプールはどっち？

Q60

迷子(まいご)のカメを拾(ひろ)ったよ。
どのおうちからやってきたか、
拾(ひろ)ってから何日目(なんにちめ)で
わかったでしょう？

Q61

貼(は)るものなのに、
切(き)られたがっているもの
な～んだ？

おまじない
晴れの日の朝、起きてすぐに窓を開けて太陽の光をあびると、充実した一日をすごせるんだって♪

Q62

部屋の中にいる
エサがいらなくて
鳴きもしないペットって
な～んだ？

Q64

寝グセのままでいたら、
ある人がクシを貸して
くれました。その人の
職業はな～んだ？

Q63

ガマンしつづけている
人が読んでいるものって
な～んだ？

Q65

急に倒れたリンちゃん。
目が覚めたとき、
変身した動物って
な～んだ？

Q66

手紙やメールを一通も
くれないカレ。
おつき合いが不安なのは
どうしてでしょう？

Q67

数字の「5」が、
ほかの数字のことを
勉強したら通訳に
なったよ。
どの数字を勉強した？

Q68

「ロウ」しか言わない
虫ってな～んだ？

P.260、261の答え

Q40 アフロ(あ、風呂！)　**Q41** 9頭(キュート)　**Q42** 健気(毛、なげー)
Q43 いつも舞っていたい(待っていたい)から　**Q44** サンダル(3、だる)　**Q45** ①ライオン(猛獣＝もう、10)
Q46 興味なかった(今日見なかった)　**Q47** わが家(輪が矢)　**Q48** りんご(りんごりんごりん……五輪)
Q49 紺色と黄色(根気がなくなった)　**Q50** カーディガン(カーでガン！)　**Q51** 9曲(究極)
Q52 読者のカエル(よみがえる＝読み、ガエル)　**Q53** 応援歌

Q69

虫たちがBBQを
していると
材料を焼いていた虫が
キレイに光っていました。
さて、焼いていた虫は？

Q70

家政婦さんが太ったら
ある星に帰ってしまい
ました。
その星はど～こだ？

Q71

おすし屋さんで
2回食べるとダイエット
できそうなものって
なーんだ？

Q72

おかまに入っているのは
かまめし、イカに入って
いるのはイカめし、
では、ちょっと味見する
のは何めし？

Q73

数字の「2」が、
吐きそうになりながら
かいた絵、な～んだ？

Q74

海に空のタッパーが浮いているよ。
取りに行こうとしたら霊感が
強い人に止められちゃった。
さて、どうしてでしょう？

Q75

メイドさんが何かを
見て「まあ！」と
おどろいています。
さて、
何を見たのでしょう？

Q76

自転車レースで
ビリになった動物、
次のうちど～れだ？

1. コアラ
2. トラ
3. ネコ

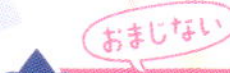

寝る前、あお向けのまま、両足のかかとをトントントンと３回軽くぶつけてみよう。きっといい夢が見られるよ★

Q77

数を数えながら、
ジュースを手づくり♪
さて、いくつまで
数えたときにとっても
おいしくなったでしょう？

Q78

下のほうしかない
野菜ってな～んだ？

Q79

調味料たちが
ケンカしているよ。
A「ちゃんとやってよ！」
B「なんでわたしが！?」
A「だってあなた【Bの名前】」
さて、Bはなんの調味料？

Q80

友だちから暗号メールが
届いたよ。
「『りしすせそ、りきくけこ、
りいうえお』の練習中」
さて、なんの練習を
しているのかな？

Q81

かわいいペットの
文鳥が歌うとき、
どんな音域で
歌うでしょう？

Q82

あるお店は、
よく「すごい!」
ってほめられるのだとか。
さて、なんのお店？

P.263、264の答え

Q54 遅刻魔　**Q55** よいこと（ドッグ→グッド）
Q56 4（読んでる→4出るから）　**Q57** 飛鳥時代（明日、火事だい！）　**Q58** 耳鼻科（字、ピカ！）　**Q59** 足がつかないプール（深い＝不快だから）　**Q60** 9日目（ここのカメ！）　**Q61** 切手（切って！）　**Q62** カーペット　**Q63** マンガ（がまんがまんが…マンガ）
Q64 保育士（ほい、クシ！）　**Q65** キリン（「気（き）」がついたリン）　**Q66** 頼りないから（便り、ない）
Q67 9（5が9＝語学）　**Q68** ゲンゴロウ（言語、ロウ）

□がうまればすっきり★

穴(あな)うめクイズ7問(もん)

Q83

□に入(はい)るの、な～んだ？

1＝ひ

2＝ひ＋な

3＝ひ＋な＋く

4＝ひ＋な＋く＋□

Q84

□に入(はい)るの、な～んだ？

お→→く

こ→ご

さ→→う

た→→□

Q85

□に入(はい)るの、な～んだ？

音(おと)　目(め)

カサ　ネギ

酢(す)　□

次(つぎ)の3つから選(えら)ぼう！

①コーン　②オクラ

③アスパラガス

P.264、265の答(こた)え **Q69** 蚊(か)(かがやいていた) **Q70** 火星(かせい)(「かせいふ」から「ふ」取(と)る) **Q71** ガリ(ガリガリ) **Q72** おためし **Q73** 似顔絵(にがおえ)(2が、オエッ) **Q74** 妖気(ようき)(容器(ようき))がただよっているから **Q75** マーメイド **Q76** ②トラ(「コ」がなかったから) **Q77** 14(ジューシー) **Q78** カブ(下部(かぶ)) **Q79** トウバンジャン(当番(とうばん)じゃん！) **Q80** さかあがり(「さ、か、あ」が「り」になっている) **Q81** テノール(手(て)、乗(の)る) **Q82** 手芸店(しゅげいてん)(しゅげー！)

おまじない　公園や校庭の大きな木に手を当ててパワーをもらおう。フシギと自信がわいてくるんだって★

Q86

□に入るの、な～んだ？

キイチゴ
アニメ
ミサンガ
□

次の3つから選ぼう！

①カシス　②レーズン
③ラズベリー

Q87

□に入る漢字、な～んだ？

1＝日
8＝四
10＝□

Q88

□に入るの、な～んだ？

ねこ→植物
町→道具
□→木の実

次の4つから選ぼう！

①春　②夏　③秋　④冬

Q89

□に入るの、な～んだ？

殻⇔虫
牛⇔柄
皿⇔□

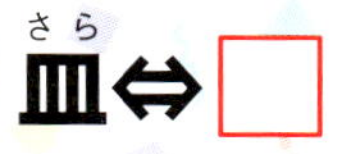

次の3つから選ぼう！

①土　②泥　③石

P.266、267の答えは
P.272を見てね！

ブルー★新発売のお菓子がハズレかも！　おやつはしんちょうに選ぼう。

インスピレーションが大事♪

イラストクイズ6コ

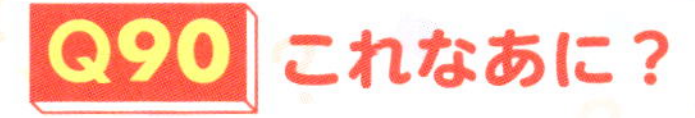

ヒント みんなのおうちはどこだっけ？

Q91 これなあに？

ヒント みんなの性格は？

Q92 これなあに？

ヒント ゆった〜りと♪

おまじない 小さな花がモチーフのリングを手づくりして身に着けると、気になるカレと両思いになれるかも♥

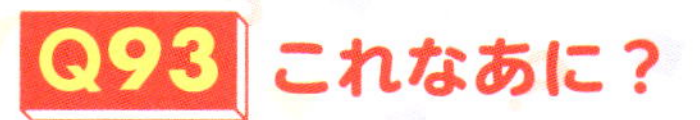

Q93 これなあに？

ヒント 表情だよ！

Q94 これなあに？

ヒント 食べものだよ！

Q95 これなあに？

ヒント 早めにね！

P.268、269の答えは
P.272を見てね！

ちょっとイジワルな ひっかけクイズ5コ

Q96 答えはカンタンです

①クイズを出す前に、「これから問題を出します。でも、むずかしく考えないでください。答えはカンタンです」と言うよ。

②少しややこしい問題を出そう。

例「ハロウィーンの日、エマは近所の家にお菓子をもらいに行きました。最初の家でアメを5つもらいました。２軒目の家ではチョコレートを4つもらいましたが、ガマンできず、アメを2つなめてしまいました。３軒目の家でクッキーをもらう前に、チョコを3つ食べてしまいました。さて、残ったお菓子は全部でいくつ?」

③回答者が具体的な数を言ったら、「最初に言ったでしょ？　答えは『カンタン』だよ！」って言っちゃおう！

Q97 ○○な県は？

①「日本でいちばん北にある県は?」「日本でいちばん人口が多い県は?」など、都道府県にまつわるクイズを出そう。

②相手が「北海道」や「東京都」と言ったら、不正解！　北海道や東京都は「県」ではないから、いちばん北にある県は「青森県」、人口が多い県は「神奈川県」になるよ。

Q98 ○○が発見される前…

①「富士山が発見される前、日本でいちばん高い山は?」など、○○が発見される前の日本一（世界一）を聞くクイズを出すよ。

②相手が全然別の答えを言ったら不正解！答えは「富士山」。発見されていないだけで存在はするから、１位は変わらないんだよ。

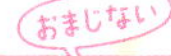

おまじない　タオルをほほに当てて30まで数えよう。そのタオルを枕の下に入れて眠ると、リラックスできるんだって！

Q99 10回クイズ(マジメ編)

「ひじって10回言って」で有名な10回クイズ。定番だけど、引っかかる人が続出!? 問題の例を紹介するよ。

例①「花うらない」って10回言って!
問題「星を見るのは?」
→答え「天体望遠鏡」
不正解「星うらない」など

例①「たぬき」って10回言って!
問題「(手をきつねの形にして)じゃあコレは?」
→答え「手、または指」
不正解「きつね」など

Q100 10回クイズ(おもしろ編)

有名な10回クイズを逆手にとった、おもしろゲーム! マジメ編をやったあとに挑戦すると、より楽しいよ♪

例①「東京特許許可局」って10回言って!
→「おつかれさまでした」

例②「かわいい」って10回言って!
→「ありがとう♥」

まあまあ★落ちこんだら、自分のことを「えらい!」ってほめちゃおう♪

P.266～269の答え

Q83 答え→こ
指で数を示すときを思い出してね。「ひ」は人さし指、「な」は中指、「く」は薬指のこと！「4」のときは4番目の指、小指を立てるから、「こ」になるんだ。

Q84 答え→く
→を1文字として、「おんがく」、「こくご」、「さんすう」、「たいいく」など、科目の1文字目と最後の文字をあらわしているよ。

Q85 答え→①コーン
左と右の字をくっつけると、「おとめ」、「重ね着」などの言葉になるよ。酢とくっつけたとき、「スコーン」と言葉になるのはコーンだね。

Q86 答え→①カシス
言葉の真ん中に、数字がかくれているよ。キイチゴ、アニメ、ミサンガ。4がかくれているのはカシスだね。

Q87 答え→田
右の字は、口の中に左の数字が入った文字になっているよ。口に10(十)が入ると、「田」になるね。

Q88 答え→②夏
左側の言葉は、間に小さな「っ」を入れると別の言葉になるよ。右側は、それを説明しているんだね。夏は、「っ」を入れると「ナッツ」になるね♪

Q89 答え→②泥
2回くり返すと、様子をあらわす言葉の反対語になるよ。カラカラ⇔ムシムシ、ギュウギュウ⇔ガラガラ。サラサラの反対語はドロドロだね。

Q90 答え→アドレス(「あ」+ドレス)

Q91 答え→動物うらない(動物+売らない)

Q92 答え→フォークダンス(フォーク+タンス)

Q93 答え→スマイル(酢、参る)

Q94 答え→みそラーメン(「ミ・ソ・ラ」+編めん)

Q95 答え→仲直り(中「な」オリ)

ならべてメッセージの答え あ

13ページ右上に「**え**」、21ページ中央左に「**が**」、26ページ右上に「**お**」、35ページ左下に「**は**」、40ページ右下に「**ハ**」、47ページ中央右に「**ッ**」、55ページ中央下に「**ピ**」、63ページ右下に「**ー**」、74ページ中央左に「**を**」、84ページ右下に「**ひ**」、93ページ左下に「**き**」、101ページ右上に「**よ**」、111ページ中央左に「**せ**」、119ページ右下に「**る**」、125ページ中央右に「**よ**」、132ページ右下に「**こ**」、140ページ中央上に「**の**」、147ページ右上に「**ほ**」、155ページ中央左下に「**ん**」、159ページ右下「**で**」、167ページ左下に「**た**」、177ページ中央左上に「**く**」、189ページ中央右に「**さ**」、195ページ中央下に「**ん**」、204ページ右下に「**え**」、213ページ右上に「**が**」、224ページ右上「**お**」、230ページ中央右下に「**に**」、239ページ中央右上に「**な**」、253ページ左下に「**っ**」、259ページ左下に「**て**」、267ページ中央右に「**ね**」

キーワードをならべると…

「えがおは ハッピーを ひきよせるよ このほんで たくさん えがおに なってね」

おまじない
赤いペンでひし形をかいて、その中に自分の名前と友だちの名前を書いておこう。そのコと心友になれちゃうんだって！

マジやば！ PART 3 こわ〜い話

学校の帰り道や塾へ行く途中、旅行先など、心霊体験はいつ、どこで起こってもおかしくないよ。思わずゾッとするような、恐怖の体験談をお届け……！

その1 学校であったこわい話

恐怖はあなたのすぐそばに…

学校に伝わるこわい話。じつはそれ、ただのウワサ話じゃないかもしれないよ……？

——最終日の夜

消灯まで時間があるし、みんなで何かお話ししない？

この本にこわい話ならあるけど…

えっ こわい話…

あの じつはね

わたしちょっとだけ霊感があるんだけど…

ええ——っ！

それ… どういうこと？

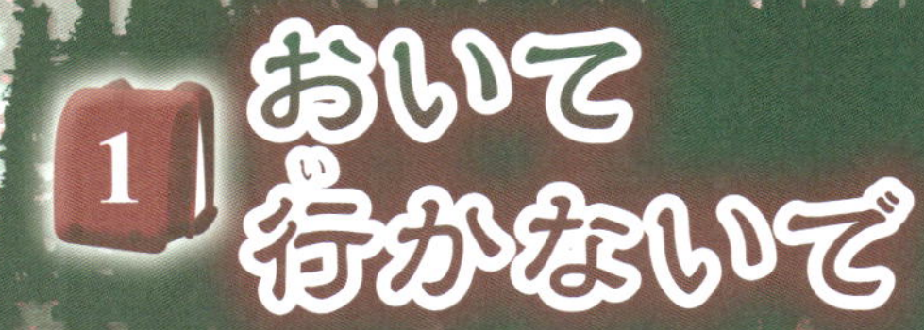

転校してくる前の話だけど
図書館で本を借りたの
そしたら本にメモがはさまっているのを見つけて…
この本 おもしろかったよ!
前に読んだコが入れたのかな?
わたしも今まで読んだ本の中でいちばんだった!
なんとなく返事を書いてみたら その返事が来て…
わたしたち 好みが似てるの かもね!
それから文通がつづくようになったの
○○っていう本も おもしろかったから オススメだよ しおり
読んだことある! ヒーローが カッコイイよね
他にも好きなもの あったら教えて!! しおり
しおりちゃんは 好きな教科ある?
私は 国語が 好きだよ しおり
私と一緒だ
最初はしゅみが合うんだなって楽しかったんだけど…

なんで…
知ってるんだろう？
昨日の夜ごはんの
オムライス
おいしそうだったね
楽し
なんで今日学校
休んだの？
なんか
だんだん監視されている
ような内容になってきて
しおりちゃんの
国語のテス
こわくなって…
返事を書くのを
やめたの
明日は
塾の日だね
昨日は夜遅くまで
電話してたけど
大丈夫？

数日後
そういえば…
あのメモ
どうなったのかな？

ぱら…
どうして？ ねぇしおりちゃん どうして
どうして返事くれないの？ どうして？
どうして？ どうして？ どうして？
どうして？ どうして返事くれないの？
どうして？ どうして？ どうして？
どうして？ ねぇしおりちゃん どうして
どうして
返事
どうして？ ねぇ…
どうして？
ないの？
どうして 返事
くれないの？

ねぇ
何コレ…
気持ち悪いっ
ぐしゃ
!
どうして返事
くれないの…?
ギャアアアアアアアア!

見まちがい…?
他の人もいるんだから館内は静かにね
あなた大丈夫?
はっ
ガチャ
すぐ転校決まってよかったね～…
そのあとすぐこの学校に転校になったんだ
それで転校初日
今日からここの下駄箱使ってちょうだいね
はい
そういえばさっきいっしょだったの妹さん?
え?
いっしょに転校してきたんでしょう?

赤い服を着た女のコよ
薄着だったから風邪ひかないか心配だったんだけど
……
ねえ
おいて行かないでよ
キャーーーッ
それじゃあユーレイ連れて来ちゃったってこと!?
あっでもおまじないしたらいなくなったから…
すげーっ!ほかにもこわい話ねーの!?
トラいた!!
ってあんた いつ入ってきたのよ! びっくりした〜〜!!
いや古今南北ゲームのリベンジに来た!
ごめん…すぐ連れて帰るから
帰るぞ

2 迫りくる足音

恐怖レベル

５年生になったばかりのメイは、授業中、急な頭痛におそわれて保健室で休むことになった。薬を飲んで少し寝ればよくなるだろうと思っていたのだが、頭痛は激しくなるばかりで、いっこうによくならない。ズキズキとしたにぶい痛みと耳鳴りにたえながら、メイはじっとベッドに横になっていた。

やがて、薬が効いたのか耳鳴りがおさまってきた。すると、それに代わるように、遠くのほうから音が聞こえてきた。

ザッザッザッザッ……

砂利をふむようなかすかな音。「なんの音だろう？」と疑問に思ったメイだったが、きっとどこかのクラスが校庭でマラソンでもしているのだろうと、とくに気にすることもなく眠りについたのだった。

しばらくして、ただならぬ気配に目を覚ましたメイは、先ほどから聞こえていた妙な音が、大きくなっていることに気がついた。

今ならはっきりとわかる。それは大勢の人が足なみをそろえて歩く音だ。まるで、兵隊が行進するかのように……。不気味な足音は少しずつ大きくなり、メイに近づいてくるようだった。

「なんなの……？　こっちへ来ないで！」

メイの思いとは裏腹に、音はどんどん近くへと迫ってくる。メイは毛布をかぶり、音がやむのを祈ることしかできなかった。

おまじない

鉛筆でなやみごとを書いて、消しゴムできれいに消そう。消しカスを白い封筒に入れて捨てると、解決策が見つかるかも！

ふいに、ピタリと足音が止まった。おそるおそるベッドから体を起こすと、メイはその光景に息をのんだ。カーテンの向こうに、おびただしい数の人影が見えたのだ。

「いやああああああ！　お願い、どこかへ行って……！」

あまりの恐怖にメイは気を失ってしまい、目ざめたときにはすでに人影は消えていた。

後日、事情を聞いた担任の先生から、メイはこんな話を聞かされた。この学校が建つ前、この場所には病院があり、戦争でケガをした兵士がたくさん運び込まれていたという。あの日、保健室で見た人影の正体、それは、戦争で命を落とした兵士たちだったのかもしれない。

3 鏡の少女

恐怖レベル

　ユキナの通う学校には、こんなウワサがあった。
“放課後、北校舎の２階の踊り場に置かれた鏡に見知らぬ少女が映る。その少女と会話をすると、鏡の向こうに連れ去られてしまう……”
　ある日の休み時間、ユキナ、エリ、アスカの３人が教室でおしゃべりをしていると、こわい話好きのアスカがこのウワサを検証してみようと言いだした。
「やめようよ。わたし、今日は塾があるし……」
　この手の話が苦手なユキナは、もちろん反対。ところが、好奇心旺盛なアスカはすっかり乗り気で、結局、放課後にアスカひとりでウワサの真相を確かめることになった。
　塾の帰り道、アスカからの『何も起こらなかった』というメールを読んだユキナは心底ホッとした。
「よかった。やっぱりただのウワサだったんだ……」
　ところが、次の日からアスカは学校に来なくなった。メールをしても、『だいじょうぶ』と返事がくるだけで、アスカの欠席の理由はわからない。やがて、クラスメートはアスカが鏡の少女に連れ去られたのではないかとウワサをするようになった。
　それからしばらくたったある日の放課後、日直の仕事を終えたユキナは、踊り場の鏡の前にだれかが立っていることに気がついた。
「もしかしてエリ……？　あそこで何してるんだろう？」
　エリは鏡に話しかけているように見えた。
「エリ……まさか、あんなウワサ信じていないよね？」

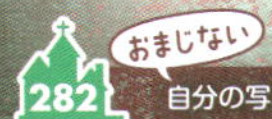

おまじない
自分の写真の四すみの１か所を小さく切り取り、捨ててしまおう。こうすることで、失敗を早く忘れられるかも♪

あわててエリのもとにかけ寄ったユキナは、悲鳴を上げそうになった。鏡の中から伸びる青白い手が、エリの腕をしっかりとつかんでいたのだ。

「やめて！　エリを連れて行かないで……！」

ユキナはエリの体を抱きしめた。このままでは、エリが鏡の向こうに連れ去られてしまうと思ったのだ。

「じゃましないでよ……！」

突然、聞き覚えのある声がしてユキナははっとした。顔を上げると、目の前の鏡にアスカの姿が映っていたのだ。

「うそ……アスカなの!?　どうしてこんなところに……」

思わずアスカに話しかけた次の瞬間、ユキナは鏡の中にすいこまれていた。そして、そんなユキナにかわるように、アスカが鏡の外へ出て行ったのだ。アスカはユキナをふり返ることもなく、生気が抜けたような顔で座りこんでいたエリの手を取って、行ってしまった。

「待ってアスカ！　行かないで……助けて！」

鏡の中で泣き叫ぶユキナの声は、もう、だれにも届かなかった。

4 体育倉庫にひそむもの

恐怖レベル

ミキはクラスの女子のリーダー的な存在で、いつもクラスのだれかをいじめていた。はじめのうちは、体型をからかったり、イヤなあだ名をつける程度だったが、だんだんエスカレート。くつをかくしたり、机に油性ペンでらくがきをしたりするほどになった。クラスメートたちは、次は自分がいじめられるのではないかと、ビクビクしながら学校生活を送っていた。

一学期の終業式の日。ミキは、ひとりで体育倉庫の片づけをしているアユミの姿を見つけた。アユミはおとなしいタイプで、ミキがどんなにイヤがらせをしても、決してそれを先生に言いつけたりはしなかった。
「あいつ、反応うすくてつまんないんだよね」
そのとき、ミキはある恐ろしい考えをひらめいた。このままアユミを倉庫に閉じこめたら、さすがのアユミでも泣きだすにちがいないと思ったのだ。ミキは倉庫にそっと近づき、重い扉を閉めると、外側からカギをかけた。そして何事もなかったかのようにカギを職員室に返し、そのまま家に帰ってしまったのだ。家に着くころには、ミキの頭は明日からの夏休みの計画のことでいっぱいで、アユミのことなどすっかり忘れてしまっていた。

夏休みが明けると、担任の先生から衝撃の事実が知らされた。アユミが夏休み中に、亡くなったというのだ。それも、あの体育倉庫の中で……。ミキは終業式の日のことを思い出してはっとした。
(亡くなったのって、わたしが閉じこめたせい……？)
しかし、先生に言いだせず、ミキのしたことは明るみにならなかった。

おまじない
お風呂でせっけんをあわ立てながら、「ビーナス」ととなえよう。男のコから注目されちゃいそう♪

それから数か月たったある日の昼休み、ミキは、友人たちと体育倉庫へ向かっていた。ここは昼間でも人があまり来ないので、最近ではミキたちのたまり場になっていたのだ。

こっそり借りたカギを使って扉をあけようとしたそのとき、ミキは一瞬、アユミの声を聞いた気がした。

「ねえ、今変な声が聞こえなかった？」

ミキがそう聞くと、ほかの人たちは首を振った。しかし、ミキの耳にはっきりと聞こえていたのだ。

ぜったいに
ゆるさない……

次の瞬間、暗闇の中から伸びてきた腕によって、ミキの体は倉庫の中に引きずりこまれていた。その場にいた友人たちは悲鳴をあげ、大急ぎで先生を呼びにいった。かけつけた先生達が倉庫の中を確かめたが、ミキの姿はどこにもなかった。その後、行方不明になったミキの大規模な捜索が行われたが、最後まで発見されることはなかった。

ふつう★仲よくなりたいコがいるなら、思いきって話しかけよう！

5 いちばん奥の個室

恐怖レベル

タマキとチカ、ユウの３人は、深夜にきもだめしをしようと考えた。

「きもだめしといったらやっぱ夜の学校でしょ！」

「だったら３階のトイレにしない!?　ユーレイが出るってウワサの……」

きもだめしは学校のトイレで行うことになった。時刻はもうすぐ夜中の２時をまわるところ。さすがにこの時間なら、学校にはだれもいないだろう。校舎の裏手から学校にしのびこんだ３人は、目的のトイレを目指した。月明かりがあるとはいえ、うす暗い校舎の中は、通いなれた自分たちの学校だとは思えないほど不気味だった。

トイレに入る順番は、ユウ、チカ、タマキに決まった。内心ビクビクしていたタマキは、トップバッターではなかったことに少しホッとしていた。

「じゃあ、わたしから行ってくるね～！」

ユウの姿が見えなってからしばらくすると、ギィ～～と、個室のドアのきしむ音が聞こえ、やがてユウはふたりの待つ廊下に戻ってきた。

「ここヤバいよ……超こわかった！」

深夜のトイレの気味の悪さは相当なものらしく、お調子者のユウの表情もこわばっていた。つづいて、チカがトイレに入っていった。チカは、こわがる様子もなくさっさとトイレに入ると、あっという間に２人のもとへ戻ってきた。いよいよタマキの番だ。

深呼吸してからトイレに入ると、窓のないそこは完全な暗闇で、目が慣れるまでにしばらく時間がかかった。いざ個室のドアを前にすると、イヤな想像がふくらみ、開けるのをためらってしまう。

「ユウもチカもなんともなかったし……」

勇気を出して勢いよくドアを開けたそのとき、タマキは背後から何者かに

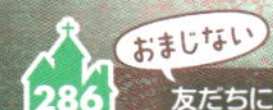

おまじない
友だちに手紙を出すときは、三日月の形に切った紙をいっしょに封筒に入れよう♪　月のパワーで仲が深まるかも！

つきとばされ、そのまま個室の中に閉じこめられてしまった。

「ちょっと、ユウでしょ!?　ふざけないで！　冗談でもやめてってば!!」

外側から押さえつけているのか、個室のドアはびくともしない。

「チカ、ユウ！　もう降参！　お願いだから本当にやめて……!!」

密室が苦手なタマキはパニックになり、半泣きで叫びつづける。するとそのとき、だれかがポンッとタマキの肩をたたいた。

あ゛ッ…う゛あ゛あ゛あ゛あ゛ッ

ふり返ると、おそろしい顔をした女がタマキをのぞきこんでいた。女は苦しそうに口もとをゆがめている。

「キャ――――――――ッ！」

タマキはその場で意識を失ってしまった。

これは後から聞いた話だが、悲鳴を聞いたユウとチカがトイレにかけつけたとき、タマキはいちばん奥の個室にこもってカギをかけ、呼びかけにも応じず、くるったように笑いつづけていたらしい。

全国の学校で起きた、こわ～い心霊現象を大★大スクープ！
これをもとに、学校内の要注意エリアをチェックしてね♪

エリア1 屋上

「立ち入り禁止の屋上にたたずむのは、ここから飛び降りたコのユーレイ!?」
「放課後ひとりで屋上へ行ったら、男のコの霊に手招きされた！」

エリア2 体育館

「真夜中、だれもいない体育館からボールをつく音が……！」
「体育倉庫で女のコのすすり泣く声を聞いたことがあるよ！」
「夜な夜な素ぶりをしているのは、体育館で亡くなった剣道部員!?」

エリア3 校庭

「雨の日になると､桜の木で首をつったコの霊があらわれるんだって！」
「玄関にあるはずの銅像が、真夜中に校庭をマラソンしていた！」

おまじない
赤、黄色、オレンジ、緑の4色が入ったブレスレットを身に着けよう。ラブ運が高まって、好きな人ができるかも♥

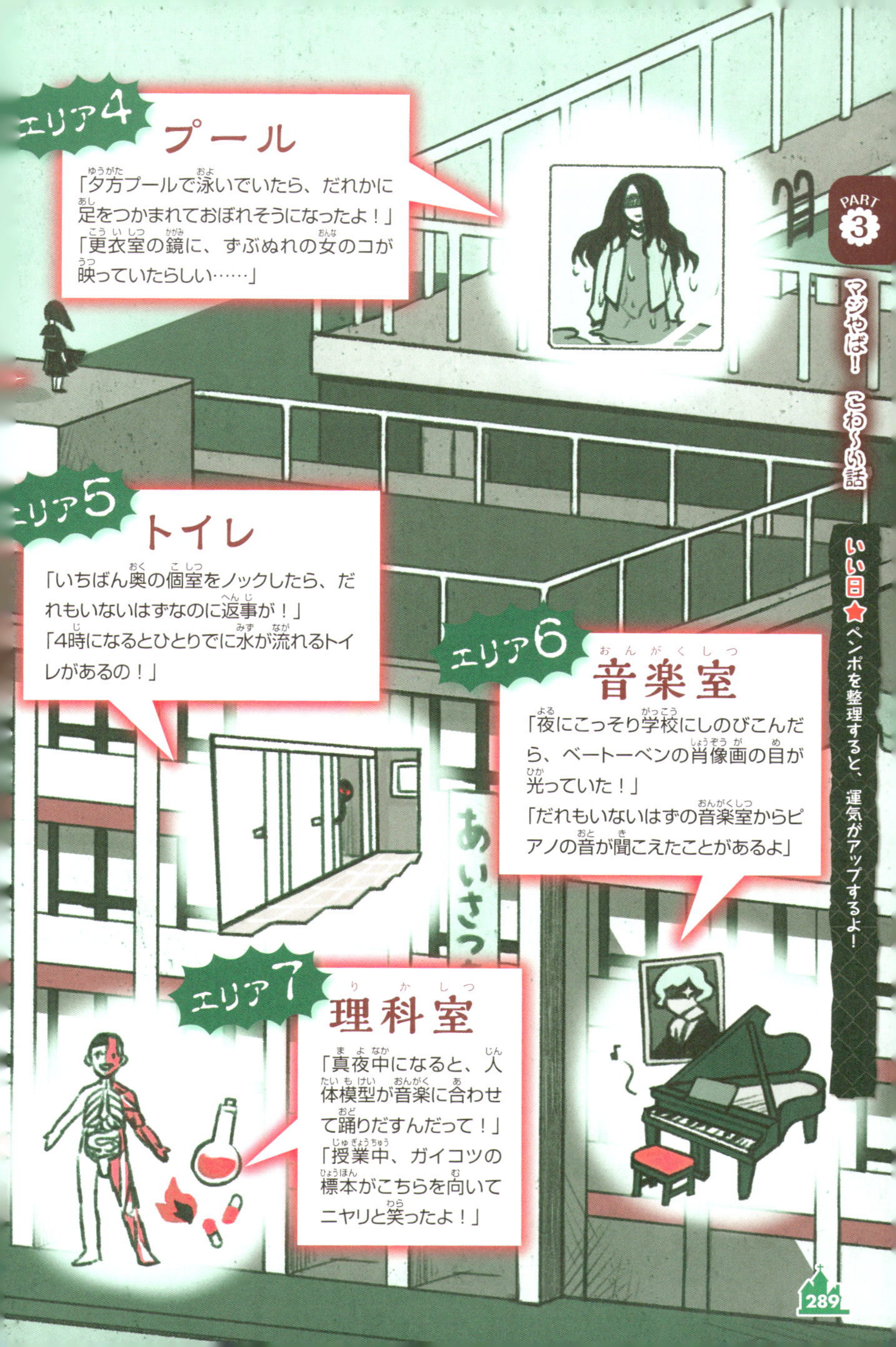

いい日★ペンポを整理すると、運気がアップするよ！

その2 旅行先で起きたこわい話

ユーレイが待っている…!?

楽しい旅行が、あんなことになるなんて……。背すじがこおる恐怖体験をお届け!

ホテルにあらわれた首

　今日から待ちに待った修学旅行。リナは、この日をとても楽しみにしていた。
「今日から３日間、めいっぱい楽しまなくちゃ！」
　期待に胸をふくらませるリナ。このときは、あんな恐ろしい体験をすることになるとは夢にも思っていなかった。

　リナの目の前に広がるのは、立派な寺院や昔ながらの街なみ。どれも、写真でしか見たことのなかった風景だ。同じグループのミサキは歴史にとてもくわしく、行く先ざきでリナに歴史上のできごとを説明してくれた。偉人が泊まっていた旅館。教科書にのっていた事件の舞台。有名な作家が生まれた場所。ミサキの知識にはおどろかされるばかりで、リナは少しもあきることなく１日目の観光を終えたのだった。
　宿泊するホテルはとても豪華で、生徒たちから歓声があがった。ふかふかのじゅうたんに、高級そうなソファ。普段は泊まることができないような高級ホテルだ。大喜びで盛り上がるクラスメートたち。しかし、リナはひとり、そんな空気にのれないでいた。このホテルに不気味なフンイキを感じたからだ。
「きっと気のせいだよね……」
　そう言い聞かせながら、リナは自分の部屋へ向かった。

おまじない　朝早く、明るくなっていく空に向かって「エオスよ、新しい恋をつれてきて」とお願いすると、ステキな出会いが訪れるかも！

「どうかしたの？　あんまり楽しそうじゃないけど……」

部屋に入ると、ミサキが心配そうに聞いてきた。

「ううん、なんでもないよ。豪華なホテルでびっくりしちゃっただけ」

ミサキによけいな心配をかけたくなかったリナはわざと明るい声を出したが、内心は不安な気持ちでいっぱいだった。

その日の夜、リナは不審な物音で目を覚ました。ミシミシと床を踏みしめる音。そしてかすかだが、人のうめき声のようなものが聞こえる。

「ミサキ、起きて。なんだか苦しそうな声が聞こえるの」

となりのベッドに声をかけると、ミサキは眠そうな声を出した。

「声？　何も聞こえないけど……」

寝ぼけまなこで首をかしげているミサキに、リナはそれ以上、なにも言えなかった。

ところが次の日の夜も、リナは不気味な物音で目が覚めた。今度ははっきりと聞こえる。女の人のうめき声だ。

うぅ……うゔゔゔ……

こわくなったリナはあわてて身を起こそうとするが、なぜだか自分の体が思うように動かないのだ。

「何これ、金しばり……!?」

必死の思いで視線だけを体のほうに向けると、おなかのあたりで、黒いかたまりのようなものが動いているのが見えた。そして、そのかたまりはゆっくりとリナのほうを振り向いた。

「いやあああああああ！」

そこにあったのは女の人の顔だった。体がない、首だけの女がかけ布団の上にのっていたのだ。悲鳴を上げるリナを見て、女の生首はニヤッと笑った。そして、転がるように部屋のすみに消えていった。

「リナ、だいじょうぶ？」

我に返ったリナが体を起こすと、ミサキが心配そうにこちらを見つめていた。

「生首が……！　首だけの女が出たの！」

リナは、今しがた体験した恐ろしいできごとをミサキに話した。だまってリナの話を聞いていたミサキは、しばらく考えこんだあと、「もしかして……」と、ひとり言のようにつぶやいた。

「昔、このホテルの前の河原には処刑場があったのよ。ここで処刑された人は、首を河原にさらされたんだって……」

あまりに衝撃的な話に、リナは思わず身ぶるいした。この美しい街なみの裏には、そんな悲しい歴史があったのか、と……。

おまじない
席がえの日、2本の赤い糸をしっかり結んでポケットに入れておくと、なかよしの友だちと近くの席に座れるかも！

PART 3
マジやば！ こわ〜い話
ラッキー★
注目度が高い日！ おしゃれして出かけよう♪

2 湖の底から…

恐怖レベル

「あっちぃ！　なあ、飛びこんじゃおうぜ！」

　やんちゃな男子がそう言って湖に飛びこんだ。それにつづくように、ひとり、またひとりとクラスメートたちが湖に飛びこんでいく。

　今日は林間学校でとある湖に来ている。ボートに乗ることにしたアズサたちの班だったが、どうやら強い日差しにたえられなくなったようだ。

「気持ちよさそう！　わたしたちも泳ごうよ」

　アズサと同じボートに乗っていたユイが身を乗り出して言った。

「でも、服がぬれちゃうし……」

「着替えればいいじゃん！　この天気ならすぐに乾くって」

　ユイに押し切られる形で、アズサはおそるおそる湖に飛びこんだ。たしかに水の中はとても心地いい。ライフジャケットを着ているからか、体が自然に水面に浮かび上がるのだ。アズサは目を閉じ、しばらくプカプカと水面をただよっていた。

おまじない

笑顔がステキな人の写真を手鏡に映し、その鏡を見ながら笑顔をつくってみて。キュートな笑顔をゲットできるかも♥

「キャーッ!!」

突然、ユイの悲鳴が響きわたった。フシギなことに、ライフジャケットを着ているはずのユイの体が水中に沈んでいくのだ。

「アズサ、助けて！　何かに引っぱられてるの！」

必死に叫ぶユイを落ちつかせるために、アズサは息を吸いこみ、水中にもぐってユイの足もとを確認した。そして、その光景に目を疑った。

ユイの足にたくさんの髪の毛が絡みついていたのだ。

思わず悲鳴を上げたアズサは、大量の空気をはき出してしまい、苦しくなって水面に浮かび上がった。ちょうどそこへ、騒ぎに気づいた係の人がかけつけ、ユイはすぐに救出された。病院に運ばれたユイは一命をとりとめたが、その後は一度も学校へ来ることなく転校してしまった。

それから数年後、家族旅行でたまたまその湖を訪れたアズサは、かつてその場所で観光バスの転落事故があったことを知った。

「あのとき、ユイの足に絡まっていた髪はもしかして……」

今ではその湖は、遊泳禁止になっている。

3 廃屋に棲むもの

恐怖レベル

　小学４年の夏休み、マコはいとこのハルカの家族といっしょに、旅行することになった。目的地はとなりの県の有名な観光地。マコもハルカも、この旅行をとても楽しみにしていた。

　観光を終えて旅館につくと、女将さんが施設を案内してくれた。ひと通り説明を聞いたマコは、窓の外に古びた建物があるのを見つけた。

「あの建物はなんですか？」

「あっちは旧館。おばけが出るから入っちゃダメよ……なんてね！」

　女将さんは、マコたちにそう言うと、いたずらっぽく笑った。

　部屋についてすぐ、大人たちは温泉へ行ってしまった。残されたマコたちは何をしようかと話し合った。

「おばけが出る旧館に行ってみようぜ！」

　そう言いだしたのはマコの弟のレンだ。ハルカの兄アキラも賛成のようだ。４人は外に出て、泊まっている本館の裏側にまわってみた。山の斜面に建つ旧館はとても古く、窓はほとんど割れてしまっている。

「近くで見ると、本当におばけやしきみたいだね……」

　マコとハルカは思わず顔を見合わせた。

「今、あのへんから物音がしなかった？」

　建物の裏手まで来たとき、レンがそう言って立ち止まった。レンが指さす２階のほうへライトを向けようとするマコ。その瞬間、アキラが急にマコのライトを取り上げた。

「おい！　やめろ!!」

　やさしいアキラが急に大声を出したことに、マコはとてもおどろいた。

おまじない

白い紙に相合傘を書き、なかにライバルのイニシャルと♂マークを書いて木に結んでおこう。ライバルがカレからはなれていきそう！

「部屋に戻るぞ。早く！」

真っ青なアキラにせかされ、４人は大あわてで本館へ引き返した。

「ちょっとお兄ちゃん、急にどうしちゃったわけ!?」

部屋に戻ると、ハルカが兄につめ寄った。ハルカも、普段とはちがうアキラの突然の行動におどろいたようだ。

「お前、あれが見えなかったのか？」

そんなハルカに、アキラは信じられないという顔をした。

「２階の窓から、大きな顔がこっちを見てたんだ……」

あとからわかったことだが、水や鏡、レンズなどを通すことによって霊が見えるようになることはよくあるらしい。あの日、旧館を訪れた４人の中で唯一メガネをかけていたアキラは、もしかするとそのせいで霊の姿が見えたのかもしれない。

まあまあ★何かが起きても、「信じてる」って心の中でとなえれば平気だよ！

4 魔界駅

恐怖レベル

　この世には、魔界へつづく駅というものが存在する。これは、そんな魔界駅に迷いこんでしまった不幸な少年の話だ。

　トオルはその日、ひとりで電車に乗っておばあちゃんの家へ向かうところだった。おばあちゃんの家までは、電車で１時間ほど。小さいころから何度も遊びに行っていたので、道のりはきちんと覚えていた。

　シートに座って外をながめていると、だんだん眠くなってきた。おばあちゃんに会えるのが楽しみで、昨日はあまり眠れなかったのだ。ガタゴトと揺れる電車の中で、トオルはいつの間にか眠ってしまった。

　ふと目が覚めると、窓の外に知らない風景が広がっていた。いつの間にか、乗客はトオルだけになっている。乗りすごしたかもしれないと思ったトオルは次の駅で電車を降りることにした。

「次ハ…ｒジいガィ……デス……」

　ボソボソとしたアナウンスが流れ、電車が止まった。

おまじない

黄色の折り紙を星形に切って、お気に入り本にはさんでおこう。一週間そのままにしておくと、モテモテになれちゃうよ♥

電車を降りたトオルはケータイを取り出し、お母さんに電話をかけた。ところが、いつまでたっても通話中で電話はつながらない。仕方なく、トオルは駅の看板を写真に撮ってメールを送った。

『電車で寝てたら、知らない駅まで来ちゃった』

トオルには、看板の文字が読めなかった。

メールを受けとったトオルの母は目を丸くした。そして、大急ぎで警察署に向かい、刑事に声をかけた。

「メールが届いたんです！3年前にいなくなったトオルから!!」

３年前、おばあちゃんの家へ行くと言って出かけたトオルは、そのまま行方不明になってしまったのだ。トオルの母は、３年間トオルをさがしてくれた刑事にトオルからのメールを見せた。写真を見た刑事は、残念そうに首を振った。

「この駅はこの世のものではありません。わたしたちは魔界駅と呼んでいます。残念ですが、トオルくんはもう生きていないでしょう……」

刑事の言葉に、トオルの母はぼう然とその場に立ちつくした。

魔界駅に迷いこんでしまうのは、フシギと幼い子どもばかりなのだという。そして、そこから戻る方法はだれにもわからないのだ。

ひとりで電車に乗るときは、居眠りにはくれぐれも気をつけてほしい。

まあまあ★ 笑顔を心がけて！ 気持ちが明るくなるよ。

5 悲劇のレストラン

恐怖レベル

　おさななじみのナナといっしょに、卒業旅行にやって来たハヅキ。夜はおきまりの怪談話で盛り上がり、テンションが上がった２人は、近くの心霊スポットへ出かけることにした。それは、２人が泊まるホテルの近くにあるレストランの廃墟。「子どもの泣き声が聞こえる」「女のユーレイが出る」など、ウワサがたえないスポットだ。暗い山道をしばらく進むと、その廃墟は突然姿をあらわした。

「昔は焼肉屋さんだったんだ……」
　壁にはられた古いメニュー表を見ながら、ハヅキはつぶやいた。色あせた紙には、「カルビ」「ジンギスカン」などという文字がならんでいた。
「ここ、お客さんが全然来なくてつぶれちゃったんだって」
　心霊スポットに興味があるというナナが、声をはずませて言った。そのとき、冷たい風が吹いた気がして、ハヅキは身ぶるいしてしまう。
「……ねぇ、なんだか寒くない？」
「そう？　それより、写真撮ってみようよ。心霊写真が撮れちゃうかも！」
　ナナはケータイのカメラで、パシャパシャとあたりを撮影しはじめた。
　しばらく中を歩きまわっていると、ハヅキはギギギ……と、何かがきしむような音を聞いたような気がした。どうやら、頭上からのようだ。
「ねえ、上から変な音が聞こえない？」
「え？　……音なんて聞こえないけど」
　写真を撮ることに夢中になっているナナには聞こえていないようだが、シャッターの音にまぎれて、妙な物音がするのだ。

「ちょっと2階に行ってくるね」
ハヅキはひとりで階段をのぼっていった。ケータイのライトをたよりにひとつひとつ部屋を確認していくが、とくに異常は見当たらない。

ギィーーーーーーッ

そのとき、背後の柱が急に大きな音を立てた。おどろいて振り返ったハヅキは、はっきり見てしまった。うつろな目の男が天井からぶら下がり、ゆらゆらと揺れているのを。
「…………っ!?」
声にならない悲鳴を上げたハヅキは1階にかけおり、ナナの腕をつかんで廃墟を飛び出した。そして、一目散にふもとのホテルへ逃げ帰ったのだった。
「あのレストラン、つぶれたあとはどうなったの!?」
無事にホテルに戻ると、ハヅキは思わずナナを問いつめた。
「そんなこと聞かれても……」
ナナはとまどいながらも、やがて思い出したようにこう言った。
「ウワサだけど、借金に苦しんだ店主が、首つり自殺したんだって」

ふつう★集中力がアップする日。宿題があっという間に終わりそう!

恐怖！心霊体験ゲーム

ちょっぴりこわいけど、ユーレイを見てみたい！　そんな好奇心いっぱいのあなたのために、霊を呼び出す方法をこっそり紹介するよ！

心霊現象ってなに？

魂だけになったユーレイが起こすと考えられるフシギな現象のことだよ。たとえば、ひとりでに物が動いたり、だれもいないはずの場所で音がしたり……。これから紹介するゲームをすれば、そんな心霊現象を経験できちゃうかも？　ただし、行うときは次の注意点をしっかり守ってね。

注意

•軽い気持ちで呼び出すと、霊を怒らせてしまう危険があるよ。ゲームをするときは、「ユーレイに会ってみたい！」という真剣な気持ちで行うようにしよう。

•ゲーム中、もしも霊に呼ばれても絶対について行かないこと。霊に呼ばれるというのはかなり危険な状況で、二度と戻って来られなくなる可能性もあるよ。

おまじない
月がキレイな夜は、月光を浴びながら願いごとをとなえよう。近いうちに夢が現実になるかも♪

江戸時代からつづく!? 霊との交信方法

コックリさん

白い紙に、鳥居マーク、はい、いいえ、0〜9の数字とひらがな 50音を書いたら準備完了。鳥居の下に置いた10円玉に指をのせ、「コックリさん、コックリさん、おこしください。おこしになったら、『はい』のほうへお進みください」ととなえよう。コックリさんがやって来ると、10円玉が『はい』のところへ動くよ。あとはコックリさんに聞きたいことを質問してみてね！

ゲームを終えるときは、全員で「コックリさん、コックリさん、お帰りください。お帰りになるときは、鳥居までお戻りください」とお願いしよう。10円玉が鳥居まで戻ったら指をはなしてもOK。ゲーム中に指をはなすと、コックリさんを怒らせてしまうので注意！

なんでも教えてくれる少年の霊

さとるくん

公衆電話から自分のケータイに電話をかけ、つながったら「さとるくん、さとるくん、おいでください」ととなえよう。成功すると、24時間以内にさとるくんから電話がかかってくるよ。電話に出ると、さとるくんは今いる場所を教えてくれるんだ。そんな電話が何回かつづき、電話口でさとるくんが「君のうしろにいる」と言ったら、聞きたいことをひとつだけ質問してみよう。どんなことでも、本当のことを教えてくれるんだって。ただし、このとき絶対に振り返ってはいけないよ。もしもさとるくんの姿を見てしまったら、そのままどこかに連れ去られてしまうからね……。

ふつう★ていねいな字でノートをとると、成績がアップしちゃいそう♪

わらべ歌に隠された真実

かごめかごめ

君は「かごめうた」の本当の意味を知っている？　じつはこの歌、おなかの赤ちゃんといっしょに殺されてしまった女の人の気持ちを歌った、コワ〜イ歌だと言われているよ。「うしろの正面だあれ?」は、「わたしをうしろからつきとばした犯人はだれ?」という意味なんだって。では本題。この話を知ったうえで、「かごめかごめ」をやってみよう。ただし、部屋を暗くして、真ん中にはだれも座らない状態でやってね。「うしろの正面だあれ?」と歌い終えたそのとき、この世にうらみを残した女の霊があらわれるかもしれない……。

いつの間にか、ひとり増えてる…？

スクエア

このゲームは4人で行うよ。真っ暗な部屋の四すみにひとりずつ立った状態でゲームスタート！　まずは１番の人が壁伝いに歩き、2番の人のところへついたら肩をたたこう。肩をたたかれた2番の人も同じように壁伝いに歩き、3番の人の肩をタッチ！　3番の人は同じように4番の人の肩をたたき、4番の人も壁伝いに次のかどまで歩いてね。本当なら、4番の人の行く先にはだれもいないはずなのに、だれかがそこに立っていることがあるんだって。もしかしたら、君たちといっしょに遊びたがっている子どものユーレイかもしれないね。

おまじない
5円玉に赤い糸を結んで、おサイフに入れておこう。友だちの輪を広げるおまじないだよ！

未来の自分の姿がわかる!?
合わせ鏡

自分のうしろ姿をチェックしたいとき、2枚の鏡を向かい合わせにすることはよくあるよね。じつは、その合わせ鏡を使って未来の自分の姿を見る方法があるんだ。深夜2時ちょうどに、合わせ鏡で自分の顔を映してみよう。奥まで続くたくさんの鏡のどれかひとつに、未来の自分が映っているはずだよ。ただし、未来の姿を見ることができるのは2時1分までの 60秒間だけ。このとき、手前から 13番目の鏡は絶対に見ないようにしてね。そこに映る悪魔の姿を見ると、鏡の中に引きこまれてしまうんだって。

降りた先はこの世ではない…
エレベーター

身近にあるエレベーターで、異世界に行く方法を紹介するよ。まずは10階以上あるエレベーターにひとりで乗って、4階→2階→6階→2階→10階の順番に移動。このとき、ほかの人が乗って来たら失敗で、はじめからやりなおし。だれにも会わずに10階についたら、次は5階へ。5階では女の人が乗ってくるけど、その人には絶対話しかけちゃいけない。最後に1階のボタンを押すと、なぜかエレベーターは10階に上がっていくんだ。10階でエレベーターを降りると、そこはもう異世界なんだって。ただし、異世界から戻って来る方法はわかっていないんだ。だから絶対、実践しないように……。

ふつう★ 外に出て深呼吸すると、ラッキーパワーが体に満ちるよ★

踏切でのさがしもの

　中学生になったばかりのミコトは、塾への道のりを急いでいた。委員会が長引いたせいで学校を出るのが遅くなってしまったのだ。しかし、そういうときほど不運はつづくもの。このあたりでも待ち時間が長いことで有名な踏切の遮断機がおりているのが見える。一度遮断機がおりるとなかなか開かないことから『開かずの踏切』呼ばれているこの踏切。これではもう塾には間に合わないと、ミコトはため息をついた。

　踏切のそばへ来ると、ロングスカートの女性が地面にしゃがみこみ、何かをさがしていた。横顔のキレイな女の人だ。

「何をさがしているんですか？」

　声をかけると、その人はゆっくりとミコトに振りむいた。

「……しを、さがしているんです」

「え、石？　それってどんな石ですか？」

　ミコトはさらに問いかけたが、それっきり、女性は顔をふせて何も言わなくなってしまった。おかしな人だなと思いながらも、あたりにそれらしき石がないか見渡してみる。当然、特徴もわからない石を見つけることはできなかった。

　しばらくすると、ようやく遮断機が上がった。女性はあいかわらず、暗い表情で何かをさがしている。

「すみません……わたし、急いでいるのでこれで失礼します」

　ミコトは女性に声をかけると、大急ぎで塾へと向かった。

塾での勉強を終え、家に帰ったミコトは、夕ご飯を食べながらテレビのニュースをながめていた。やがて、ニュースは『××町の踏切事故から１年』という画面に切り替わる。それはミコトが住んでいる町の名前だった。

「１年前に踏切事故なんてあったんだ……」

見れば、事故があったのは今日まさにミコトが足を止めた『開かずの踏切』だった。どうやらその事故で、ひとりの女性が亡くなったらしい。つづいてテレビは被害にあった女性の写真を映し出し……。

「そんな！　まさか……！」

女性の写真を見たミコトは、おどろいて声をあげてしまった。そこに映っていたのはまぎれもなく、今日見かけたあの女性だったのだ。

『この事故で女性は右足を切断され、出血多量で亡くなりました』

キャスターが読み上げる１年前の事故の内容を聞いて、ミコトはあの女性の本当のさがしものに気づいてしまった。

「足を、さがしているんです」

彼女はあのとき、ミコトにそう言っていたのだ。

超ブルー★
体調をくずしやすいかも…。夜ふかしはダメだよ！

2 ついて来ている…

恐怖レベル

　モネとカンナは幼稚園からの心友だった。ところが、中学生になって2人とも同じ先輩を好きになったことで、関係が悪くなってしまった。何よりゆるせなかったのは、カンナが先輩にモネの悪口を言っていたことだ。
（カンナには、ぜったいに先輩を取られたくない！）
　モネは、カンナより先に先輩に告白をしようと、ある日の放課後、体育館の裏に先輩を呼び出した。
　放課後、ドキドキしながら体育館へ向かおうとするモネだったが、階段の前でカンナとはち合わせてしまった。どうやらモネを待っていたらしい。
「カンナ、なんの用？　まさかわたしのじゃまをするつもり？」
　告白のじゃまをされると思ったモネは、カンナにつめ寄った。
「別に。はじめから告白が成功するなんて思ってないから」
　嫌味を言うカンナに、モネはカッとなった。
「だったらそこをどいて。じゃま！」

　モネは思わず、カンナをつきとばしてしまった。バランスをくずして階段から転がり落ちるカンナ。その姿を見て、モネはいい気味だと思った。
「これであんたも少しはこりたでしょ」
　満足げにほほえんだモネは、そのまま約束の場所へと向かった。
　しばらくすると、こちらへやって来る先輩の姿が見えた。
「先輩、来てくれたんですね！」

おまじない
鉛筆に苦手な科目と「ゲルソ」と書いておこう。その上に赤い糸を巻きつけて机の左すみにおくと、苦手をこくふくできそう！

ラッキー★さりげな〜く好きなカレに接近できそうだよ♥

　うれしそうにかけ寄るモネ。ところが先輩は、そんなモネをフシギそうに見つめていた。

「お前、カンナになんかしたの？」

　質問の意味がわからないモネに、先輩はさらに言葉をつづける。

「カンナがおまえの背中にしがみついてるよ」

　先輩にそう言われたとたん、急にモネの肩がぐっと重くなった。

　階段からつきとばされ、気を失ったカンナは、それでもなおモネのじゃまをしようと、生霊となってついて来ていたのだ。

3 残されたメッセージ

恐怖レベル

「ねえ、ちょーヤバい心霊スポットの話聞いちゃった！」

興奮気味にそう話すのは、おさななじみで心友のノゾミだ。

「ちょーヤバいって……それじゃ全然、何がヤバいのかわかんないよ」

笑いながらリコが答えると、ノゾミは急に声をひそめた。

「○○町のアパートで女の子が殺されたらしくて、その子の霊が出るんだって！　どう？　こわいでしょ!?」

笑顔で聞いてくるノゾミに、リコは苦笑いでうなずいた。ノゾミが見つけてくる情報は、存在すらもあやしい場合がほとんどなのだ。

「それじゃあさっそく、学校が終わったら探検に行ってみよう！」

「うーん、やっぱりそうなるのね……」

リコは仕方なく、今回も心霊スポット探検につき合うことになった。

夕方、２人は町のはずれまで来ていた。ノゾミの話によると、住宅地から少し離れた山のふもとにそのアパートはあるらしいのだ。

「このあたりだと思うんだけど……。あっ、きっとあそこだ！」

ノゾミが指をさす方向に、ボロボロのアパートが建っているのが見える。アパートが本当に存在していたことに、リコはとてもおどろいた。

おまじない

右手でVサインをつくって、先生の背中にそっとさわると、その先生と仲よくなれちゃうかも♪

「事件があったのは１階のいちばん奥の部屋だって！」
　おそるおそるドアを開けてみると、部屋の中は荒れ放題だったが、とくにおかしなところは見つからなかった。ただ、気味の悪いことに、部屋の壁一面に赤いクレヨンで次のような文章が書かれていたのだ。
『おおきなへやで　まつのはだあれ
　えんそくおまつり　たのしいじかん
　ちきゅうがまわって　のはらがやけた
　ろうそくきえたら　うしろはみるな』
　それは、子どものらくがきのようだった。
「何これ……何かの歌詞？　意味わかんないんだけど」
　ノゾミが不満そうな声を出す横で、壁の文字をじっと見つめていたリコは、あることに気がつき、ふるえながらノゾミを振り返った。
「ねぇノゾミ、この文章、一文字目だけをつなげて読んでみて」
　言われた通りに読んだノゾミも、すぐに真っ青になった。

おまえたちのろう

　不気味な文章には、そんなメッセージがかくされていたのだ。

4

トンネルの向こう側

恐怖レベル

サッカー部のメンバー３人で、キャンプに出かけたときの話だ。この近くにあるという、使われなくなったトンネルをさがしに行くことになった３人は、うす暗い森の中を歩いていた。インターネットの情報をたよりに進むと、たしかに森の奥に古いトンネルがあった。だいぶ長さがあるようで、出口はまったく見えない。真夏にもかかわらず、ひんやりと冷たい空気が流れるトンネルはとても不気味だった。

「なあ、やっぱり帰ろうぜ。さすがにヤバいって」

リクがそう言うと、タケルも大きくうなずいた。

「なんだよおまえら、ビビってんの？」

カイトはすっかりトンネルに入る気になっているようだ。

「このトンネル、長さもわからないし危ないよ……」

タケルが不安そうな声で言うと、ふいにハルキが口を開いた。

「……それじゃあ、こうしない？」

おまじない

トランプの♣のＡのカードを得意科目の教科書にはさんでおこう。ますます成績が上がっちゃうかも!?

ハルキの提案で、10分歩いても出口が見えなかったら戻ってくることになった。しぶしぶみんなにつづいたリクだったが、しばらくすると出口が見えたのでホッとした。

「向こう側はどうなってんだろうな」

カイトが興奮気味に言ったとき、急に周りの空気が一段と冷たくなった気がした。

「これ以上はヤバいよ！」

同じタイミングで、タケルが大きな声を出した。

「どうしたの？　出口はすぐなのに」

ハルキがタケルを振り返る。ハルキとカイトは明らかに不機嫌だった。

「ぼくは戻る。リクも戻るよね？」

いつもは大人しいタケルのあまりの勢いに、リクは驚きながらもうなずいた。

「オレもタケルといっしょに入り口で待ってるわ」

そう口にした瞬間、タケルはリクの手をとり全速力でかけ出した。背後では怒ったカイトが不満そうな声を上げていたが、タケルは立ち止まらなかった。

入り口に戻ったときには、ふたりとも息が上がっていた。

「タケル、どうしたんだよ。たしかに不気味なトンネルだったけど」

そう聞くと、タケルは青ざめた顔でリクを見て言った。

「なぁ、ハルキってだれ？」

そうだ。キャンプへは、“３人”で来たはずなのに……。

あの日、いっしょにキャンプに行ったカイトは、今も見つかっていない。

5 エレベーターの怪

恐怖レベル

「うわ、やっちゃった！　社会のノート、明日学校で使うのに」
　塾からの帰り道、引き出しにノートを忘れてきたことに気づいたミウは、来た道を引き返していた。忘れものは塾に電話をすればあずかってもらえるのだが、あいにく明日は社会の授業があるので、そのノートが必要なのだ。
　塾のあるビルにつくと、いつもはなかなかおりてこないエレベーターが運よく1階に止まっていた。
「わぁ、ラッキー！」
　ミウはすぐに乗りこんで11階のボタンを押した。
　エレベーターが動き出すと、9階のボタンが光った。
「あれ、9階でだれか乗ってくるのかな？　でも、9階って今は立ち入り禁止じゃなかったっけ……？」
　1か月ほど前、9階のお店で暴力事件があったのだ。その日はビルのまわりにパトカーや救急車がたくさん来ていて、塾の生徒たちはその話題でもちきりだった。
「あんなに大さわぎだったのに、もう新しいお店が入ったのかな？」
　不審に思ったミウだったが、そのあとハッと何かに気づき、3、4、5、6、7、8階と、手当たり次第にボタンを押しまくった。しかし、動いているエレベーターがそんなにすぐに止まれるはずもなく、4階、5階、6階を通りすぎたところでようやくスピードが落ちはじめた。
「お願い、止まって……！」
　ミウの祈りが通じたのか、エレベーターは7階で停止した。

おまじない
自分がキライになりそう……。そんなときは、目の前でパン、パンと手をたたくと、ネガティブな気持ちが消えていくかも♪

ホッとして息を吐き出すミウ。しかし、エレベーターを降りようとした瞬間、背後から「待って……」というかぼそい声が聞こえ、ミウはふたたびこおりついた。

「ここはまだ、7階ですよ？」

女の人の声が、はっきりと聞こえた。
「い、いいんです。用事を思い出したので」
ふるえる声でミウが答えると、声の主は「そうですか」とつぶやき、やがてエレベーターのドアが閉まった。エレベーターが上がっていく音が聞こえるまで、ミウはその場を動くことができなかった。
1階でエレベーターに乗ったとき、ミウはたしかにひとりきりだった。しかし、9階のボタンが押されたということは、エレベーターの中にミウ以外のだれかがいたのだ。見えない、だれかが……。

「もしもあのまま9階についていたら、どうなっていたんだろう……」
そう考えると、恐ろしくてたまらなかった。
ミウは階段で1階までおりると、一度も振り返ることなく家に帰った。忘れてきたノートのことなど、もうすっかり頭から消えていた。

ふつう★スポーツ運が上昇中★ とくに、外で運動するのがおすすめ♪

魔よけのおまじない

こわい話は好きだけど、実際にユーレイに会うのはイヤ……そんなコは要チェック♪　ユーレイを寄せつけない最強のおまじないを紹介するよ！

おまじない①

塩のパワーで身を守る

5センチの正方形の白い紙に五芒星※を書き、真ん中に塩を盛ってひと晩置いておこう。翌朝、その塩をひとつまみ自分にふりかけてみて。これだけで、ユーレイが寄ってこなくなるよ♪　天然の塩を使うとより効果的だけど、ない場合は普通の塩でもOK！

※☆マークのことだよ！

おまじない②

かしわ手を打つ

音にはとても強いパワーがあるって知ってた？　音を響かせるイメージでかしわ手を打つと、低級の霊はそれだけで逃げていくよ！

おまじない
お気に入りの写真をフォトスタンドに入れて、月や星などの宇宙のアイテムでかざろう。苦手な科目をこくふくできそう！

おまじない③

クモの巣で悪夢をキャッチ！

悪夢ばかり見るときに効果的なのが、クモの巣のイラストをかき、枕の近くにはって眠るおまじない。クモの巣にはイヤな夢を絡めとってくれるパワーがあるんだよ♪

おまじない④

水で口の中を清める

少量の水を口に含み、10秒間目を閉じてからはき出そう。このとき、ネガティブな感情を外に出すイメージではき出すと、水といっしょに、体の中の悪いものを追い出すことができるよ。

心霊SOS!!

もしもユーレイに出会ってしまったら…？

楽しいことを考える

ユーレイは基本的に、ポジティブな感情が苦手。落ちこんでいたり、イライラしたりしている人に近づいてくるよ。ユーレイがあらわれたら、楽しいことを考えて寄せつけないようにしよう！

自分の名前や誕生日をメモしておく

心霊体験でいちばん危険なのは、自分が何者かを忘れてしまうこと。いざというときに自分がだれなのかを思い出せるように、普段から自分の名前や誕生日などをメモした紙を持ち歩こう♪

カバーのお守りで守備力アップ！

この本のカバーについているお守りを切り取って持ち歩こう。☆のマークの5つの角は、木・火・土・金・水をあらわしていて、あらゆる魔よけとして効果があるよ♪

→これをコピーしてもOK！

まあまあ★「ごめんね」を言えなくて落ちこみそう。すなおにね！

エピローグ
それでは解散～！
は～
これで修学旅行も終わりかー
ほのかがその本持ってきてくれたおかげで
修学旅行がさらに楽しくなったよな！
わたしも、みんなと話すきっかけができたよ
ありがとう
オレも楽しかった！
FORTUNE favors the bold

まだまだ心理テストやゲーム残ってたよね?やりたいな～
今度３人で女子会しない?
あっオレらも混ぜろよ!
次は古今南北負けねぇからな!
どういたしまして!
呼び捨てだ♡
じゃあ そのとき、しおりのお誕生日会しようよ!
仲よくなった5人♥キズナを深めたほのかたちの物語はつづく…!
また この本持っていくねっ!

監修（心理テスト・うらない・おまじない） 小泉茉莉花
まんが 朝吹まり
イラスト 朝吹まり、杏、うづき秋、坂巻あきむ、紺ほしろ、ミニカ、もくり
デザイン Flamingo Studio, Inc.（金井 充、伏見 藍）
なぞなぞ制作（Q 1～95） こんのゆみ
DTP 明昌堂
校正 関根志野、曽根 歩、木串かつこ
編集協力 株式会社スリーシーズン（朽木 彩、松下郁美）

C♥SCHOOL
心理テスト&ゲームBOOK

監修 小泉茉莉花
編著 朝日新聞出版
発行者 橋田真琴
発行所 朝日新聞出版
〒104-8011 東京都中央区築地5-3-2
電話 (03) 5541-8996（編集）
(03) 5540-7793（販売）
印刷所 大日本印刷株式会社

©2018 Asahi Shimbun Publications Inc.
Published in Japan by Asahi Shimbun Publications Inc.
ISBN 978-4-02-333202-7

定価はカバーに表示してあります。
落丁・乱丁の場合は弊社業務部（電話03-5540-7800）へご連絡ください。
送料弊社負担にてお取り替えいたします。

本書および本書の付属物を無断で複写、複製（コピー）、引用することは著作権法上での例外を除き禁じられています。
また代行業者などの第三者に依頼してスキャンやデジタル化することは、たとえ個人や家庭内の利用であっても一切認められておりません。